Ulrica Hydman-Vallien

Här en teckning
för Ulrica
från
Stockholm den 16/10 02

Ulrica Hydman-Vallien

Mailis Stensman

Edition Apel

Omslag: *Punky Nefertite*, målat kristallblock, h 28, 1989. Foto Lars G Ohlsson.
Baksida: *Älskande*, akvarell, 31 × 22, 1988.
Försätts: *Dammen i Åfors*.
Eftersätts: *Åfors glasbruk*.

Ulrica Hydman-Vallien i ateljén 1990.

Ulrica och Bertil i Bromsastugans berså 1964.

Just utanför dörren rinner Lyckebyån söderut. Ån gör många lyckor på sin slingrande väg till Östersjön, innan den rinner vidare genom Blekinge och ut i havet strax öster om Karlskrona. Lycka står för ögla, krök och sådana gör den lilla ån många på sin färd. Små vattenfall får den att porla och skratta och det pärlande skrattet hörs till dem, som bor i det röda gamla huset med de vita knutarna. På den norra sidan öppnar sig skogen i en ring runt en damm. Ån är uppdämd just här. Förr försåg man byn med ström från Lyckebyån. Nu anses det inte längre lönt att tämja ån. Dammen liknar en skogstjärn. Den svarta ytan speglar himlen och träden runt om. En tidig morgon eller en sen dag lyser den rosa, orange eller bitvis röd, innan dagens blå eller grå färg tar över. Natten sänker sin magiska svärta och tystnad över vattenytan, som då oftast lägger sig blank och stilla som ytan på en stor polerad sten av diabas. På dagen, då vinden inte når ytan för de skyddande träden, upprepas himlen som för att dölja vattnets djup. Trädens växlande färgspel leker med i upprepningen. När blåsten kommer eller då vattenytan höjs efter en längre regnperiod, kan dammen se oändligt djup ut, nästan påträngande hotfull. Under kalla vintrar lägger is och snö ett vitt, vilande lock över vattenytan. Det finns en dramatik i det småländska landskapet här, som parerar risken för alltför skyddande instängdhet. Skogen speglar sig tät och grön i vattnet. Under hösten leker de stora asparnas gula färger på träd och på vattenyta och under vintern öppnar de avlövade träden en aning den mörkt gröna granridån.

Här i ett hus från 1700-talet bor Ulrica Hydman-Vallien med sin man Bertil Vallien. Barnen är utflugna ur huset, som under åren byggts till flera gånger. Ett virrvarr av adderade funktioner har utvidgat huset åt alla håll, gjort det till ett vildvuxet hus. Det liknar egentligen lite Ulricas tidiga keramikhus, ett leksakshus. I mitten finns storstugan byggd av liggande timmer, den del som en gång var hem åt spiksmeden Broms. Huset kallas än i dag på typisk småländska Bromsastugan.

Byn heter Åfors, ån där forsen finns, och den ligger nära Eriksmåla, strax norr om vägen mellan Växjö och Kalmar. Under slutet av 1800-talet anlades här en glashytta. Energin fanns här i å och skog, när arbetare bröt sig loss från angränsande bruk för att starta eget. Det äldsta svenska glasbruket, som fortfarande är i drift, ligger strax norr om Åfors. Det är Kosta glasbruk, som anlades 1742 och som fram till slutet av 1989 stod som ägare till Åfors under beteckningen Kosta Boda AB. I slutet av december 1989 förvärvade AB Orrefors Glasbruk, som ligger ett par mil nordost om Åfors, merparten av aktierna i Kosta Boda. Säljaren behåller en tredjedel. Det innebar i stort en slutfas i den koncernkoncentration, som pågått i allt hastigare takt sedan 1960-talets mitt. Fram till 1965 grundades nästan två hundra glasbruk i Sverige, men under samma tid lades också närmare hundrafemtio bruk ned. Denna strukturomvandling har nu till slut inneburit att den nya ägar-gruppen med sina cirka 1 400 anställda blir näst störst i världen efter irländska Waterford.

Men för inte så länge sedan fanns det en mängd större eller mindre hyttor i denna del av landet. De fanns i så riklig mängd att man döpte i huvudsak kommunerna Emmaboda, Lessebo, Nybro och Uppvidinge till Glasriket. Råvara fanns i stort sett utanför knuten och energi till smältprocessen gav ursprungligen skogens träd. Här i skogarna lyste hyttornas glassmältor upp mörkret och gav hårt arbete i karg lands-ända. Bynamnen på vägskyltarna i trakten skvallrar om knapphet, oro, hopp och fantasi: Getasjökvarn, Raftamåla, Ingemundehult, Flerohopp, Ulvaskog, Månsamåla, Trolleboda, Rävemåla, Drottninghult, Susings-borg, Tokelsmåla...

Hit till Glasriket kom Ulrica Hydman-Vallien hösten 1963 inte för att börja arbeta med glas, utan som medföljande hustru till Bertil Vallien.

Det var chefen för Åforsgruppen Erik Rosén, som efter Boda glasbruks framgångar med Erik Höglunds glas, beslutade att ytterligare glasform-givare skulle knytas till gruppen. I Kosta arbetade Ann och Göran Wärff och till Boda knöts Rolf Sinnemark och Monica Backström. Det var en expansiv tid och en tid av förnyelse av det svenska glaset. Erik Höglunds vitalisering och fokusering mot kraftfulla ornament och starka och mustiga färger i tjockväggigt glas med mängder av önskade luft-bubblor, som skapade ett pärlande liv i glasmassan, upplevdes mycket positivt och det var strålande tider för svenskt glas ut över världen. Erik Höglund är utbildad skulptör, liksom Edvin Öhrström, vars tradition han i vissa avseenden förde vidare i ett kraftfullt, robust formspråk. Det stod i stark kontrast till den tidens överförfinade glas och Erik Höglunds 1950-tals och tidiga 1960-talsproduktion inledde oppositionen mot det veka och raffinerade.

Ulricas material var närmast leran och i en gammal kvarnbyggnad tillhörande glasbruket i Åfors byggde hon tillsammans med Bertil upp en verkstad. Den var enkel och stod generöst öppen för intresserade besökare. Eftersom Bertil till en början endast var knuten till glasbruket under halva året, arbetade även han med lera.

"I färger påminnande om orientalisk eller mexikansk konsts flödande rikedom och intensitet modellerar Bertil Vallien upp sina sagans hästar,

I ateljén 1964.

På väg mot himmelrike med bomber, lergods, h 45, 1968.

Slott, lergods, 1964.

fåglar, valar, slott, farkoster, träd och blommor. Som små solar lyser de gula, orangefärgade och röda skeppen krusidulligt pyntade och lastade med lyckans rikedom och generositet. Skulpturerna består av tummade, kavlade sjok tätt hopfogade till en kryllande enhet. De växer och förökar sig genom knoppning, ler åt omvärlden och försöker ta oss med till fantasins lyckliga sagovärld. Detta är dagens svenska keramik, när den är som bäst och mest spännande." Så skrev jag själv som konstkritiker i tidningen Arbetet den 11 november 1966. Bertil visade då utställningen "Lack å lera" i Malmö. Det var skulpturer målade i syntetiska lacker, istället för glaserade på traditionellt sätt. De mottogs naturligtvis av somliga med protester. Många var då på 1960-talet och är fortfarande i

11

Spagettiburkar, lergods, h 25–40, 1964.

dag vid 1990-talets början helt i linje med en lång östasiatisk form- och glasyrtradition, som visserligen vid den tiden och ett par decennier tidigare hade börjat luckras upp av olika uttryck av respektlöshet och förnyelse.

Nu lämnar vi i texten Bertil. Han får sin egen bok. Men Bertil finns hela tiden starkt närvarande vid Ulricas sida, liksom hon finns vid hans. De möts i diskussioner vid köksbordet, prövar nya idéer, hjälper och stöttar varandra i vardagens enahanda grå, i det kreativa arbetet och i sorgen. De lär sig att ta emot stickigheter och nödvändiga provokationer från varandra, när arbetet tetar sig, eller att gå undan ett tag för ilskor att lägga sig. Men också att dela glädje och uppskattning, när den är där, och den är där ofta. "Bertil är den viktigaste personen kring mig. Han har både sporrat och bromsat, då det behövs. Under 30 år har vi så gott som dagligen pratat igenom det vi håller på med och helt naturligt är vi varandras ärligaste och bästa kritiker. Bertil och jag har fört hetsiga diskussioner kring ideal och mål. Mitt direkta och snabba uttryck kan ofta upplevas som slarv. Då jag varit för ivrig har Bertil ibland ändrat min impuls till eftertanke och jag har gjort om idén till

Änglar, lergods, h 25–30, 1965.

något bättre. Vi betyder mycket för varandra och vi behöver varandra. Ofta sticker jag ut hakan och får på käften, men jag sticker upp igen..." Så berättar Ulrica.

Att hon inhandlat en hatt med namnet "Blixt och dunder", utförd av textilkonstnären Annika Lundgren i Färjestaden på Öland, säger kanske något. Hatten är vacker. Den klär Ulrica, hon bär den gärna och ett pärlande skratt ljuder ofta i den gamla timmerstugan.

En husgud i lera möter med underfundighet och visst allvar vid grindstolparna och den av Ulrica målade ytterdörren hälsar generöst välkommen. Inne i stugan möter köket först och det är stort och varmt med vedspis och travad ved. Den stora, röda katten Spinnie pockar genast på uppmärksamhet, innan han intar sin plats ovanför ett element där han har fin utsikt över trädgårdens fåglar och dammen. Skafferiet är gammeldags stort och möjligt att gå in i. Det är välfyllt av skogens och trädgårdens givor och underlättar vid spontana besök. Det är långt till butiken och planering är en nödvändighet. Genast anas en nära kontakt med och respekt för naturen och en sympatisk resursmedvetenhet hos de människor som bor i detta hus. Som en riktig, trygg bondmora använder Ulrica ofta flitens förkläde, både i köket och under arbetet. Vid staflit sitter hon med sitt förkläde, har sällskap av katten, utsikt mot dammen och under tiden berättar hon i bild efter bild märkliga sagor i sagans värld och i verklighetens. På den grova timmerväggen hänger en kattmumie som en smärtans bild, stannad i döden, som en påminnelse.

I sin tidiga keramiska produktion har Ulrica arbetat med hus, slott och figurer i lergods eller stengods målade med mörka, lätt tecknade linjer i kobolt och järnoxid på den ljusa, vita engobegrunden samt med bruksting som skålar, burkar, fat, tekannor och äggkoppar. Äggkoppsproduktionen var viktig för levebrödet under 1960-talet. Det kunde ha stannat där, med produktion av ting för bruk i vardagen eller till fest. Men lusten att uttrycka sig, att berätta var viktigare och ledde vidare på andra och olika vägar. Direkt i verkstaden, i ett fåtal butiker eller på utställningar mötte denna produktion sina köpare.

Figurkompositionerna bestod oftast av flera agerande tillsammans på ett upphöjt postamentsliknande tårtfat, en plattform. Grupperna agerade i olika scenografiska situationer som på en vridscen. Med snabba scenbyten kunde de spela upp och berätta om uppsluppen glädje, oro eller vara en protest mot likgiltighet eller krig och utsugning. Äggkopparna kunde till och med någon gång övergå till att vara avbildningar av avfyrningsramper för bomber. De älskliga damerna höll plötsligt gevär i händerna och de söta djuren var inte längre söta. De blev odjur.

Det var så långt bort man kunde komma från t ex väna och idylliserande porslinsgrupper utförda i Meissen på 1700-talet. Ulrica har i recensioner påståtts vara inspirerad av just sådana figurer. Så småningom kom glasyrfärgen alltmer in med gula, orange, röda och blå accenter. Längre fram tog färgen över i ännu högre grad och ibland kunde färger ur målarlådans tuber tas till hjälp, när uttrycket så krävde. Sådana keramiskt inkorrekta metoder, som att delvis eller ibland helt använda akrylfärg, bekymrade inte Ulrica. Figurer skall hon fortsätta att arbeta med men de keramiska slotten hör till 60-talet enbart.

Inspirerade gjorde arbeten från Mellanamerika. Resorna i Mexiko och Guatemala under 1960-talets början gav henne många möjligheter att studera den äldre konstnärligt sett högtstående precolumbianska konstens figurala framställningar och den samtida färgrika folkliga konsten med sina berättande och ibland t o m burleska upptåg. Picassos schvungfulla keramiska fat och kannor med sina målade figurer måste också upplevts stimulerande och befriande. Det finns många förebilder som ger olika sorters vinkar på vägen och så måste det vara. Det kan vara alltifrån vita gipsfigurer, leksaker, gammeldags julgodsaker i vitdeg med karamellfärgsmålningar, lärarna på Konstfack, Lis Husberg och Stig Lindberg, lärlingstiden på Bornholm, mötet med popkonsten i USA, kolleger och samtida keramiker under vistelsen i Los Angeles, teckningar av Matisse... Den svenska folkkonsten samt den naiva och naivistiska konsten med sina innerliga berättelser och ibland inneslutna moraliska predikningar finns med som resonansbotten för Ulrica i den

Ulrica 1964.

djupa skogen i Småland. Hon är en berättare, en besvärjare, som diktar och formar om vardagens väsen som katter, hundar, maskar, får, hästar och fåglar till tigrar med människohuvuden, leoparder med ormsvans, drakormar och vilddjur i lera, på glas och i målningar på duk eller pannå. Människor, speciellt männen, uppträder i djurklädnad med fläckig päls och uppstående öron. De blir till en blandning mellan djur och människa, som om människan är ett av jordens djur. Hon är släkt med de orientaliska sagoberätterskorna. Men även sagor kan vara på fullaste allvar, i glädje och förtvivlan, och ha en högst allvarlig anledning för att bli till. Den kan tåla sanningar, också ganska tydligt, och vara grym och svart. Under den vackra ytan döljer sig oro i en orolig tid.

15

Ulrica målar påskägg.

Men också lusten att utmana och att retas finns där, att få någon att förfasa sig, att reagera. I den mjuka kattassen finns plötsligt vilddjurets klo, med styrka på liv och död. Hjälper det med dubbla hemsnickrade och målade ramar som staket runt odjuren för att hålla dem på plats? Men de är inte alltid odjur. De är också gosiga godjur som hälsar med ett "Hello Darling" eller "For you my love".

"Så här på höstkanten söker sig de mystiska djuren till människorna för att söka värme. De vill bli inomhus. Det är ängshästar, gofåglar, skogslejon, drakdårar, några sommarfjärilar. Så flygmora, stora och små. Flaxare och kragmysa också. Kan de finna bostad och vän?" Så skrev Ulrica 1972 inför en utställning som visade flockar av underliga djur.

Redan under lärlingstiden hos keramikerna Arne och Tulla Ranslet på Bornholm arbetade Ulrica med drejade former, som kombinerades med skulpterade detaljer i den mjuka, följsamma leran. Än mer detaljerade blev lerbyggena under vistelsen i Los Angeles. Utrustade med tinnar och torn, ibland med flagga i topp, stod dessa byggnader stadigt på en lådformad grundplatta.

Den första separatutställningen ägde rum på Konsthantverkarna i Stockholm 1965. Här skulle sedan Ulrica långt fram på 1980-talet kontinuerligt ha t ex skålar, tekannor och äggkoppar och ibland en och

Diande unge, målat stengods, 1969.

annan mindre skulptur till försäljning i butiksdelen. Den första kollektionen bestod både av praktiska spagettiburkar dekorerade med blomsterornamentik, ljusstakar och skålar med målade blommor eller små djur på kanten eller i fatets mitt samt av figurer och slott. Alla gav de ett spontant och lite robust uttryck. Ränderna efter drejningen lämnar rytm över ytorna. Leran har behandlats direkt och smidigt. Den har kavlats, klippts och nypts till krokanliknande byggnader med redovisade tegelpannor, fönster, flaxande fåglar och bladrik vegetation, där den målade dekoren ytterligare preciserar intrycket av en positiv, glad och generös berättaranda. Idyllen bryts dock av en och annan vargs närvaro. Figurerna med drejrändernas svaj i kjorteln formas hastigt och bestämt vidare för armar, händer, huvud och breda axlar. Avtrycken av fingertopparnas snabba arbete döljs ej, de blir en del av uttrycket. Värme och humor strömmar från dessa böljande eller dansande figurer placerade en liten bit upp på runda eller fyrkantiga postament. Vänlighet och förnöjsamhet karaktäriserar dessa ljusa matronor, män och barn. Det är festlig och uppsluppen picknickstämning i deras möten i olika scentablåer. Av publik och recensenter möts denna sockerbagarar-

Vill vara nära, olja, 1970.

kitektur som en befrielse. Det primitiva och enkla vågar någon visa så omedelbart, skickligt och självklart. Ulrica fortsätter arbeta med denna typ av figurer. De blir efterhand råare, fräckare i uttrycket. De olika djuren blir farligare, drakarna, ormarna och råttorna väller fram runt tekannans buk, slingrar på krukans kant, dyker upp som en liten djävul ur burken eller lägger sig till rätta för en stunds vila i skålens djup. Idyllen är tydligast i de äldre arbetena. Men även i dem bryts de oskuldsfulla lekarna i paradisets lustgård av komplikationer. Det finns en fara, ett undergångshot som lurar och leken är ej oskyldig eller omedveten. Komplext försiggår den upphöjt vid avgrundens rand.

Färgerna ökar i användning och antal under åren. Den torra, vita engoben ersätts med glasyrfärgernas register och kompletteras t o m med akrylfärg.

Fyleleran bränns till stengodsskulpturer eller stora skålar vid 1280 grader och den holländska lergodsleran vid cirka 1100. Lergodsleran används t ex i de tummade skulpturerna som obrända får en yta av torr slammad vit lera, engobe. De målade linjerna är utförda med ren koboltoxid. Oglaserade blir de svarta och glaserade blå. Ulrica använder koboltoxiden oglaserad och når på så sätt en effekt av teckning, som om hon tecknar med svart tusch på vitt papper.

Att teckna i blyerts eller tusch är hela tiden ett bildskapande, som är mer eller mindre närvarande i Ulricas produktion. Pennan är ofta bred och används på ett målande sätt. Hon målar orädd med den grå eller svarta linjen, ibland med pensel, och berättar sagor, onda eller goda.

18

*Damer i soffa, oxidmålat högbränt lergods som
efter bränningen delvis målats med akryl. Höjd
c 30, 1971. Tillhör Nationalmuseum, Stockholm.*

Flera år med början 1964 deltar Ulrica i den jurybedömda utställningen
Unga tecknare på Nationalmuseum. År 1969 inköper Nationalmuseum
två teckningar i serien "Lady med raringar" och 1972 tilldelas hon
bland många tävlande det eftertraktade priset.

Bland cirka 1 600 bidrag plockades Ulricas svit om fem blyertsteck-
ningar på temat "Någon annanstans" ut som vinnande kollektion. Det
innebar prispengar, uppmärksamhet, inköp på invigningsdagen av
kung Gustaf VI Adolf och av Nationalmuseum (sidan 27) samt så
småningom konstgalleriers förfrågningar om utställning. Extra stora
rubriker blir det i kvällspressen, därför att Ulrica i hastigheten säger du
till kungen. Hon glömmer sig, när hon ivrigt skall berätta att kungen
hade köpt ett keramiskt arbete av henne redan under utbildningstiden
på Konstfackskolan. I annonser i dagspressen gör museet reklam för
utställningen omfattande arbeten av 122 konstnärer under rubriken:
"Kungen och Ulricas drömvärld". Teckningarna beskriver Ulrica i

Bondauktion, olja, 80 × 108, 1964.

samma annons på följande sätt: "En bild ur en värld någon annanstans dit vi alla kan nå med hjälp av fantasin".

Instängd i en kub, ett rum möter bildens huvudperson en leopardfläckig mansfigur med breda tassar skvallrande om dold styrka och bredvid pockar småkatterna på lekuppmärksamhet. Det är inviter till olika sorters lekar, som den nära omgivningen förväntar. Utanför huskuben flyter ett annat liv kraftigt åtskilt med extra styrka i de tecknade linjerna. Där borta, utanför, svävar bland många figurer ett litet barn inneslutet i en bubbla och fästad vid handjurets svans som en sorts navelsträng.

I Byggnadsarbetaren 15.1972 berättar hon: "Jag har alltid tecknat, men gör det bara 'allvarligt' en gång om året. Det är inför utställningen Unga tecknare ... Jag målar också ganska mycket, litet i olja mest i akrylfärg, som ju är spännande eftersom den torkar så fort – efter tio minuter ungefär ... När jag ritar och målar brukar jag börja i mitten av det som ska bli en bild. Sen kommer figurerna – det kan vara djur och människor – alltid hoppande av sig själva. När jag sätter i gång så vet jag förstås alltid var jag ska befinna mig motiviskt, om det ska vara på jorden, i rymden eller i en sagovärld. Men detaljerna ger sig själva ... Jag har alltid älskat sagor och sagofigurer. Det är så roligt att flyga iväg och komma till en annan värld."

Ulrica har en utbildning inom keramikområdet, därtill arbete i olika omgångar hos ett par Bornholmskeramiker samt stimulerande och viktiga erfarenheter från ett par års vistelse i USA. Det är ganska ovanligt med arbetskombinationen teckning och keramik. Än ovanligare är därtill dessutom målning. Att teckna eller måla för den egna kammaren är

Tillsammans, olja, 30 × 40, 1970.

kanske inte så sällsynt, men att arbeta på den nivå som Ulrica gör hör till ovanligheterna. Det kan tyckas att blandningen av material skulle ge ett splittrat intryck. Men så är det inte. Materialet bestämmer inte över uttrycket. Alla hennes arbeten har egentligen målningens form oberoende om de är utförda på papper, duk, pannå, lera eller glas. Det viktigaste är själva bildidéerna och hur de är uttryckta, de mycket personliga berättelserna med drag av sagans naiva övertoner och de på ytan trygga bildvärldarna kombinerade med verklighetens absurditeter och grymheter.

Hela tiden sker övergångar och identitetsbyten, tryggheten går över i det farliga, i oro, det mjuka till den vassa klon färdig att riva det mjuka, kärleken, ömheten till grymheten, ondskan. Den starka önskan att skydda den nära världen, hemmet, barnen och rädslan att inte räcka till gör bilderna ibland till förtvivlans besvärjelser. I de tidigare målningarna finns något av ikonmåleriets kultbilder, som om själva handlingen i avbildandet skulle skydda mot hotande faror eller hjälpa i svåra situationer. En symmetrisk bilduppbyggnad i vissa tidiga målningar förstärker och koncentrerar bildinnehållet och betonar ytterligare målningen som en sorts magisk åkallan. I andra målningar kan nattens himlavalv öppna sin rymd mot frihetens landskap, ibland med farliga eldsprutande berg vid horisonten. Som silhuetter står figurerna, som smugit sig undan med packad resväska, färdiga att ge sig av, fly på svarta springare från tvingande krav och mot okända världar. I andra målningar ligger betoningen på gosiga stunder tätt tillsammans i soffan. Men de fläckiga djurkläderna och mössorna med öron lurar i idyllen. "Man vet aldrig... På den här bilden tänkte jag att jag skulle göra en jättevacker flicka. Men så kom ju det där djuret till med sina vassa klor."

21

22

Flickan och älskaren, olja, 45 × 35, 1970.

Råttpojken, olja, 50 × 40, 1975.

Koncentrationen på själva bildens uttryck och självständighet underlättas av förflyttningen mellan olika material och därmed också byte av arbetsområde. Det ger en frihet, men kan också resultera i att problem lämnas olösta på vägen eller gås förbi lite lättvindigt. En viktig frihet ger bytet mellan olika materialområden i relation till uppdragsgivaren. Ulrica vill inte binda sig till en keramiktillverkning eller enbart till glastillverkningens mera organiserade former för att därmed riskera att komma i situationer där kompromissen är enda möjligheten för vidare arbete. Då vänder hon på klacken och går till bildskapandet inom ett annat materialområde. Bildvärlden hålls levande och får möjlighet att utvecklas åt det håll, som hon anser betydelsefullt. Den situationen ger en viktig frihet, som Ulrica utnyttjat skickligt till sin fördel.

"Jag är en otålig person. Jag tröttnar och då måste jag vara ifred. När jag blir trött och besvärlig, då går jag över till mitt andra, till mitt måleri. Det måste kännas bra hela tiden, det jag gör. När jag blir mätt

23

Med välnärt barn för framtiden, olja, 1970.

på keramiken tecknar jag eller målar. Sedan kommer glaset in ... Jag har aldrig velat vara flott och göra vackra grejer. Jag vill att vaser och skålar ska vara sneda och vinda, ha en överraskande form. När jag började med glas var det svårt att förklara det i glashyttan. Om jag hade levt för länge sedan, då hade jag nog varit kyrkmålare som Albertus Pictor, eller gåramålare. Jag gillar starka färger och att smycka. Det medeltida är fräckt, ömsint och har humor. Hieronymus Bosch tittar jag gärna på. Men Henri Matisse, han är för mig den störste av alla." De tidigare målningarna är varmare och har en innerligare ton. Det måste ha varit en fin tid i Småland. Barnen var små, djuren var många och olika och resorna inte alltför många.

Trots att glasbruket Åfors ligger ett stenkast från Ulricas bostad och ateljé och trots att förfrågningar från brukets chef Erik Rosén inte har saknats intresserade sig inte Ulrica för glas. Men plötsligt, när en glasserie som skulle bygga på gammal hantverkstillverkning skulle utfö-

I trygghet, olja, 40 × 30, 1968.

Vår unge och jag, olja, 1972.

ras i en mindre produktionsenhet, blev av en händelse Ulrica intresserad. Den skulle ha en romantisk framtoning, det låg lite i tiden, och Bertil var inte särskilt fångad av den uppgiften vid det tillfället. Det var 1971. Då går Ulrica över grusvägen i sina nya ärenden. Serien "Optikon" börjar tillverkas i turkosblått och optikblåst glas. Den premiärvisades samma år på slottet Bosjökloster i Skåne. Den kollektionen såldes slut, innan utställningen hann öppna.

"Glas verkade hopplöst först, tyckte jag. Man kan inte ta i det direkt, måste använda redskap hela tiden. Leran är villig på ett helt annat sätt och kräver inte den typen av koncentrerad uppmärksamhet. Det tunga, slitiga och ensamma jobbet med leran är svårt däremot. Glaset måste man låta någon annan blåsa och forma efter ens idéer. Jag har prövat på glasblåsning. Det är enormt hett och tröttande.

Någon annanstans, blyerts, 42 × 59, 1972.
Tillhör Nationalmuseum, Stockholm.

Arbetet i hyttan kräver att besluten måste fattas snabbt. Det är stressande därför att det varma glaset kräver det och därför att arbetslaget också måste ha bestämda, snabba besked. Glaset är i arbetsprocessen i hyttan fjärmat från mig och det kräver en skärpning, eftersom jag måste formulera mig till andra personer. Glaset kräver koncentration. Jag saknar, att jag inte kan sätta tummarna i glaset, att jag inte kan knipa eller trycka till ett uttryck. Men transparensen är ett tillägg och glaset är lite härligt som material. Nu är jag tänd på glaset! Det är fantastiskt kul.''

Den första keramikverkstaden, som Ulrica hade, var inrymd i en gammal kvarnbyggnad precis vid Lyckebyån. Den hade senast fungerat som verkstad för glasmåleriet vid Åfors. Vid 1920-talets början och fram till slutet av 1940-talet målades en del av brukets produktion med blommor, blad och ornament, ett och annat ord brukade också få komma med på det oftast svarta glaset. Det var prydnadsglas, skålar och fat. Från Tyskland kom Carl Zenkert 1922 för att dekorera och senare på 1930-talet fick han sällskap av Karl Diesner och Albin Wei-

27

Målade glasflaskor, 1972.

Tillsammans i trygghet, olja, 50 × 40, 1970.

kert, också de kunniga, tyska hantverkare. När intresset för det dekorerade glaset började avta, lades produktionen ned. Men några emaljfärgpåsar blev kvar i verkstaden och dem fann Ulrica femton år senare. De var daterade med årtalet 1945. Det var ganska naturligt för henne att pröva dem, men ingen på bruket hade längre kunskap om den speciella glasmålningstekniken. Det fanns inte heller någon ugn för den nödvändiga bränningen av målade arbeten.

29

Råttskålen, emaljmålat glas, h 30, 1972.

Kattkvinna, glasflaska med emaljfärg, h 30, 1972.

Äventyrsbubblor, emaljmålat glas, h 30–70, 1972.

Efter prövande och med hjälp från glasmålaren Carl-Gösta Magnusson i Kosta målades glas och flaskor, som brändes i den egna keramikugnen. Det resulterade naturligtvis i att temperaturen ibland blev för hög för glaset. Lite sneda och vinda överraskningar blev följden, när temperaturen blev alltför hög och började närma sig den temperatur då glaset så smått börjar bli formbart.

Ormblomma, stengods, h 30, 1974.

Stilla avsked, olja, 59 × 73, 1970.

Familjen, olja, 57 × 49, 1974.

    År 1972 har Ulrica den första separatutställningen med målat glas och 1976 kom den första stora serien målat glas också ämnad för export, "Butterfly", omfattande fyrkantiga flaskor, skålar och vaser. De unika eller i mindre serier utförda skålarna och flaskorna var oftast utformade på ett sådant sätt att det fanns stora, hela ytor med plats för mer koncentrerade målningar att breda ut sig på, medan serieproduktionens målningar hade en enklare, mer smyckande karaktär.

Triangeldrama, olja, 85×115, 1975. Ommålad 1978.

År 1972 skulle alla formgivarna vid Åforsgruppens olika bruk på Erik Roséns förslag utföra typiska 50-årspresenter. Ulrica tar som form för glasblåsningen en av glasarbetarnas vattenhinkar i trä. De formande träredskapen kräver förvaring i vatten och hinken, formen, var redan sköljd och klar för att ta emot det varma glaset. En stor skål i burkform gjordes av turkos degelfärg. När den kylts till rumstemperatur, målade hon stora svarta råttor och moln på den. En förtvivlad glasbruksdirektör utbrister: "Man kan ju för fan inte sälja glas med råttor på!"

Födelsedagspresenten, som inte blev någon present, tillhör idag brukets egna samlingar. Men nu arton år senare är en hel avdelning med nio glasmålare fullt sysselsatta med olika serier målat glas. Även om Erik Rosén inte uppskattade råttornas dans i det här sammanhanget, så uppmuntrades Ulrica till att ta upp den gamla traditionen vid bruket och fortsätta med glasmålningsarbetet. Både änglar och vilddjur, fjärilar och ormar målas nu i en takt, som inte hinner ikapp efterfrågan.

Triangeldrama, olja, 85 × 115, 1978.

Tekniken är speciellt lämplig för produktion av arbeten i den s k "Artist Collection", som både Bertil och Ulrica började arbeta med under sent 1970-tal. I denna typ av produktion, som utvecklats alltmer under åren, ges med användandet av gamla hantverkstraditioner ett mer konstnärligt uttryck åt produkterna. "Artist Collection" kan sägas ligga mellan en vanlig, mer anonym produktion, och den unika produktionen av objekt existerande i enbart ett enda exemplar. Det innebär, och har också varit syftet vid framtagningen, att värna om glasindustrins speciella kvaliteter och förutsättningar. En hantverksmässig produktion ger ett mer omväxlande, meningsfullt och ansvarsfyllt arbete för glasarbetarna. Under glasindustrins allvarliga krisår i slutet av 1970-talet och i början av 1980-talet uppfattade en rad olika tillskyndande företagsledare att en hårt styrd mekanisering var enda alternativet till ett framtida bevarande av svensk glasindustri. Så var det inte alls. Det har visat sig att en produktion baserad på användandet av olika glastek-

37

Mammafågel Pappafågel, glas, h 25, 1976.

Tekanna, stengods målat med kobolt och järnoxid, oglaserad, 1978.

Ängel Nunna Häxa, olja, 70 × 65, 1978.

Blå djurskål, emaljmålat glas, h 23, 1978.
Tillhör Corning Museum of Glass, New York.

niker och ett artikulerat och personligt formuttryck var de kvaliteter, som vann i längden. Det lilla bruket Åfors med ungefär hundra arbetare har många gånger varit nedläggningshotat. Underhåll har eftersatts och nyinvesteringar har inte gjorts. När koncernnamnet 1970 ändrades från Åforsgruppen till Kosta Boda försvann brukets namn, t o m angivningen av glasens tillverkningsplats blev på själva produkterna andra bruks namn.

Inte förrän under de allra senaste åren har bruksledningen insett det fulla värdet i en hantverksinriktad verksamhet. Säkerligen har inte någon glasindustri i världen lyckats med konststycket att ha en så differentierad och konstnärligt sett hög nivå på produktionen, som den Åfors har. Man kan nästan betrakta bruket som en enda stor studioglas-hytta och dess framtid ligger säkerligen i en än mer profilerad inriktning

Husgud, stengods och blandteknik,
h 57, 1985.

Kvinna födande man, stengods, h 50, 1978.
Tillhör Röhsska konstslöjdmuseet, Göteborg.

Skulptur, akrylmålat stengods, h 62, 1984.

åt det hållet. Att detta lyckats beror till stor del på att Bertil och Ulrica
har ställt upp med formgivning av produkter för serietillverkning kom-
pletterad med en unik konstglasproduktion. Den senare visas på konst-
gallerier världen runt. Denna produktion av bruksserier och s k "Artist
Collection" har av somliga upplevts på ett negativt sätt, eftersom konst-
närerna inte tillräckligt har värnat om en sparsmakad produktion visad
vid fåtal tillfällen. Den sociala delen och värnandet om hantverkskun-
nandet, som är förutsättningen för att över huvud kunna arbeta, har då
inte beaktats. "Bort med de alltför utslätande maskinerna och satsa på
det genuina hantverket! Är vi bara kunniga och ständigt förnyar oss, så
blir vi bäst i världen", envisades Bertil och Ulrica med att hävda vid
debatter. Det fanns personer, som vid den tiden då stora rationalise-
ringsbeslut fattades, såg dem som en fara för svensk glasindustri och
inte insåg att det var de själva som var faran.

Utanför, oljemålning, 70 × 65, 1980.

Vid mitten av 1970-talet börjar Ulrica arbeta med stora keramiska skulpturer, som i sin märkliga svärta har en metallisk karaktär. Kobolt-oxiden har arbetats in i stengodsleran och ger en lätt glänsande, hudlik yta åt det svarta godset. Det händer att figurerna efter bränningen delvis målas med akrylfärg. Ibland får de detaljer av pålimmade pälsbi-tar, som en lätt målning med penseln. Ögonen ser rakt fram och

Längtan mot det okända, olja, 1976.

munnarna är allvarliga, sorgsna och bärande på ett underfundigt urve-
tande. Överst reser sig ibland stora hornliknande huvudprydnader som
om granskogens älgar lånat ut sina kronor för ett tag. Som inspiration
har utomeuropeiska kulturers ritiska föremål fungerat och det finns en
pessimism över vår kulturs utveckling starkt avläsbar i dessa skulpturer.
De är i regel frontalt komponerade och de med kragliknande detaljer
betonade axelpartierna förstärker framsidan och allvaret. De söker våra
blickar för viktiga meddelanden. Somliga sitter uppgivet handfallna
med rudimentära armar utmed kropparnas sidor, medan det mellan

Brudens väntan, oljemålning, 75 × 90, 1978.

deras skrevande ben föds små mansfigurer. Den nyfödde är lik den födande och mönstret bryts ej för hoppfullheten. Andra figurer ingår i husliknande konstellationer med panterfläckiga djur och sorgsna änglar. Det finns ett sökande efter det urjordiska, ett ursprung och ett tvivel i dessa svarta lerfigurer. De gläfsande urdjuren med dubbla ryttare står med stadiga ben och formar hela kroppen till ett munnens tjut. I sådana mindre skulpturer behålls stengodsleran oftast naturell. Den genomfärgas ej, utan accentueras med tecknande linjer av svart koboltoxid, ibland med senare tillförda detaljer i lysande akrylfärger.

Ulrica i ateljén 1974.

Bruksting, som kraftfulla och funktionella tekannor och en och annan äggkopp, finner sin väg till Konsthantverkarna i Stockholm framför allt. Det kraftfulla uttrycket i den skrovliga leran följs upp av berättande sagor och ornament på kärlformens yta.

Viktigt för Ulrica har varit att behålla sitt oberoende och att själv bestämma över sitt arbete. Trots att uppdragen för glasbruket under åren har ökat, så har hon behållit sin frihet och inte gått in i ett anställningsförhållande. "När jag har något att erbjuda", som hon säger, "då vill jag arbeta för bruket. Det kan vara mycket olika mellan tre och åtta månader om året. Men aldrig får bruket makten över mig.

Vas, graverad kristall, h 45, 1980.

Rebeckha ung, olja, 70 × 65, 1980.

Under Betlehems stjärna, olja, 1980. Delvis övermålad.

Jag vill inte vara anställd." Med den inställningen och det förtroendet, som under åren skapats mellan konstnär och bruk, uppnås säkerligen de bästa resultaten i en samarbetssituation. Hon känner gruppgemenskapen och ett ansvar för brukets människor, stimuleras av hyttans och verkstadens arbete, lever i byn vid bygatan och möter arbetarna i fest och vardag, i gymnastiken en gång i veckan, i kvinnogruppen, i skolan för att tillsammans med eleverna måla lokalerna vackra.

49

Moder Hustru, den starka kvinnan, olja, 100 × 70, 1982.

Kärlek i nittonde århundradet, olja, 105 × 75, 1984.

I väntan på dig, målad vas, Pilchuck, 1980.

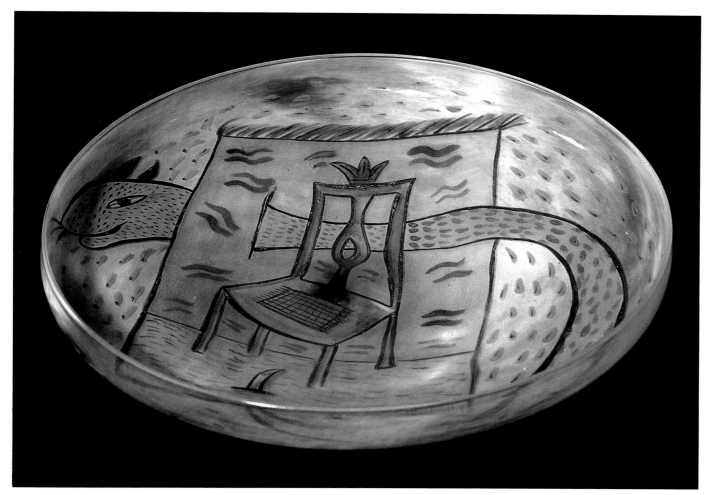

Orm på väg genom matta med stol, glasfat, d 36, Pilchuck, 1980.

"Att komma till brukets måleriavdelning efter en lång resa, det är som att komma hem. Det är roligt för mig och tjejerna tycker, att det är roligt. Var och en som målar här ingår i en helhet. De har och känner sitt ansvar och de är duktiga på att måla, därför att de tycker om sitt arbete. Det är ingen fabriksstämning här, inget tempoarbete. Alla gör färdigt sitt arbete och sätter sin signatur på det tillsammans med min. Det är lätt att se skillnad på de olika målarna. Var och en har sin personlighet och det är viktigt att det är så. Det hade varit lätt att förstöra den kvaliteten genom att bestämma att var och en målar enbart en och samma detalj i serien och alltid arbetar med en viss färg. Så är det oftast inom industrin. Denna avdelning är den mest unika genom att den bär med sig det personliga uttrycket i massproduktionen."

Inom den unika produktionen målar Ulrica själv i sin egen ateljé, längst bort i bruket. Nu finns ändamålsenliga ugnar för bränning av glaset i en temperatur upp till cirka 525 grader. Glaset befolkas av figurer, fåglar med människoansikten, glada eller sorgsna kattdjur, ormar och drakdjur. Här flyter motiviskt måleriet på duk, teckningen på papper samman med glasmåleriet i ett enda stort bildflöde. De tecknade porträtten får ett extra seende öga och tentakelspröt på huvudet. Det är bilder av besvärjelse och hopp om besinning i tid av oro och det är bilder, där triangeldramat på hemmaplan spelar upp sina olika lojaliteter mellan modersrollen, barn och man. I en utställningskatalog skriver Ulrica:

"Nu, idag en tid fylld av
oro och hot, känner jag
starkare än någonsin
hur viktig gemenskap – kärlek
människor emellan är.
Sammanhållning och förståelse,
ömhet mellan barn och vuxen, mellan
alla levande varelser är så viktig.
Också att värna om naturen så att
vi och vår planet får leva vidare
och bestå.
Att mitt i allt utblickande titta på det
vi har helt nära oss
att värna om det vi håller av,
att visa vår längtan.
I mina bilder vill jag spegla detta,
också glädjen över våra liv just nu
och det som är bra."

I målningar, runt skålarna, dricksglasen och på de unika glasarbetena slingrar ormar, kryper kryp och ylar vargar. Varför alla dessa ormar? De står inte enbart för en traditionell erotisk symbol eller för den förlorade paradisiska världen, utan de finns till säkert minst lika mycket bara för att retas.

"Från en uppslagsbok, när jag var liten, minns jag särskilt en bild av en pytonorm, som hade svalt ett stort djur eller möjligen en människa... Ormen låg där uppsvälld på mitten och smälte maten.

Sedan fick man lära sig att inte peta på en orm. Det var förbjudet. Ormen symboliserar det opålitliga och farliga, frestaren. Jag målar ofta gula ormögon på mina figurer.

Under en tioårsperiod hade vi ständigt ormar i vårt hus. Barnen hade många olika sorters djur, drog ibland hem dem från skogen eller så köptes de. Vi hade en pytonorm ett tag... När jag såg att människor skrek och pep, när de såg ormar, då blev det frestande. Då började jag måla ormar. Mina första ormglas gjorde jag 1975 och sedan fortsatte jag i mera skulptural form på Pilchuck i USA 1980."

Även om glaset under 1980-talet har tagit mer och mer av Ulricas tid har måleriet varit grunden för bildskapandet. Här möter vi tidigast de agerande i sina miljöer. Deras inbördes relationer spelar upp i fantasins landskap eller bland täta gröna granar eller yviga palmer, i slutna rum eller bland storstadens höghus med mörka fönster. Ibland svävar alla

Vild och galen II, juvelteknik, h 24, 1984.

September, graal, h 22, 1982. Tillhör National Museum of Modern Art, Tokyo.

Interiör från glashyttan. Degelbyte.

Amor på språng, juvelteknik, h 25, 1984.

högt ovanför mark, träd och byggnader i en rymd av frihet, som ändå inte alltid är frihetens. Figurer och djurskepnader sluter varandra inne och ömsar ständigt nya och märkliga skinn. Blixtens rörelse i rummet skvallrar om plötsliga motsättningar, längtans blickar flyger bort, resväskorna är packade och det mörka riddjuret väntar. En kvardröjande gest eller ögonkast binder åter till rummet, tryggheten i otrygg värld. Alla barnen samlas i skyddande, stark famn mot olika faror. Kvinnan är ofta i centrum som den starka, skyddande och livgivande. Men hon kan också vara den demoniska, den som erotiska lekar kretsar kring, eller häxan. I närheten hotar faran, vilddjuren i olika skepnader. Orosmomenten tränger in som en flodvåg i rummets slutenhet med mor och barn som åskådare. Starka tillsammans lyckas de vara åskådarna till faran och dessutom ha möjlighet att sända en längtans ljusstråle i motsatt riktning, ut.

En uppstannande rörelse, som frysningen av en filmsekvens, tydliggör det komplicerade händelseförloppets känslor och inneboende krafter.

Kärleken är viktigast, olja, 150 × 235, 1984.

Fräck flicka, juvelteknik, h 35, 1986.

Till och med dockfiguren Jesus lutad mot en trädstam, redan trött och utled, är i målningen "Under Betlehems stjärna" från 1980 (sidan 49) redan förberedd för sin färd och har väskan packad, stjärnan lyser och de tre vise männen står uppvaktande på rad som tända ljus. Maria drömmer frånvarande om nästa barn, kanske ett vanligt som inte redan vid födseln så direkt förebådar kommande händelser. Radioapparatens närvaro slår ytterligare hål i bildens ikonografi och stämningsläge, medan ormens vågrörelse olycksbådande stiger mot skyn som en ton-slinga. TV- och radioapparater finns i många målningar som splitt-rande dissonansbottnar.

Oljefärgen lämnas så småningom alltmer för akrylens intensitet och snabbhet. Penseln dansar allt hetsigare och otåligare på målningarnas ytor. Färgplanen blir stundtals mera enhetliga och konturerna tydli-gare. Halvdjur eller halvmänniskor rör sig i intrikata skeenden, ormlikt krängande i målningens givna rektangel, och väser och fräser mot röda medagerare och svarta djur eller ormar som lojt slingrar runt huvud och halsar eller smeker kroppar. Orm föder orm och väser dubbelt upp, horn och öron växer ut från pannor eller ibland bara på låtsas från mössorna. Gapen öppnar sig, brösten putar och djurtriangeln skvallrar om brist på mättnad eller skrattar ett prälande skratt i småfräck exhibi-tionism. Plöstligt dyker i en senare målning en kylig fantomenfigur upp, kyskt återhållsam i blå åtsmitande kläder. Som en stoppsignal eller semafor signalerar figuren hjälplöst utlämnad med rymdens gula bakom

Farlig natt, olja, 82×102, 1983.

sig. Han är en främmande figur bland trollskogens alla djur och djuriska människor, som hålls på plats med breda ramar, hemsnickrade eller gamla, tidigare i andra sammanhang använda, nu kanske dekorerade med pälsfläckigt mönster. Oftast är ramarna svarta, ibland med en smal röd list närmast som ett extra band runt målningen.

I katalogtexter har Ulrica vid ett par olika tillfällen uttryckt sig om sitt måleri på följande sätt:

"Min lust att måla är stor, mina bilder är mina känslor. Jag målar den starka kvinna jag är ibland, tryggheten att vara mamma och maka. Jag målar den ensamma kvinnan, svartsjuka. Den längtande. Barnen, familjen. Bilderna är tydliga uttryck för känslor som berör de nära relationerna. Stämningar kring det eviga, viktiga, människorna närmast omkring. Och ibland ett enskilt iakttagande kring en välkänd situation, med symboler för det kära. Det är ömhetskänslor, ängslan, kärlek, förhoppningar, rädsla, skratt och styrka."

Kvinna med man, lergods med akrylfärg, h 30, 1985.

Dessa motivkretsar varieras och nyanseras med sina tydliggörande förvrängningar framför allt i målningarna. På glaset eller inne i glaset, i juveltekniken och kabalen som är Ulricas egna, blir med nödvändighet bildrikedomen något reducerad, men därmed inte mindre slagkraftig. Vid mitten av 1980-talet inleder Ulrica sitt arbete med huggna glasblock. Det börjar med block i tung helkristall från Oxelösunds gamla glasbruk. Med hacka, mejsel eller såg behandlas kristallen, som kan skifta i färg från det glasklara med mycket svag skugga av färg till det gröna eller blågröna, tills den önskade formen erhållits. Den råa ytan kan ses som en protest mot de ofta alltför glittrande och förfinade glasskulpturer, som görs eller har gjorts av många. På dessa block målas en genomskinlig varg med Rödluvan i magen, ormar, ett älskande par eller en farlig kvinna i den småländska djungelskogen. Ibland svajar storstadens höghus över grantopparna och ofta blickar intensiva ögon, ormögon, med något vilt i ögonvrån på oss.

Kärleksgemenskap, tuschteckning, 46×33, 1986.

"Glaset är just nu för mig mest det massiva genomskinliga. Jag sansar min vilja att dekorera allt och över allt. Sparsamt har jag målat mina nödvändiga tillägg. En figur i figuren, ett öga i ett kraftfullt huvud, en glödande massa som för alltid stelnat i sin bestämda position, en vätska som slutat flöda.

Det är tungt att arbeta med glas, det är varmt och stressigt. Med akvarellmålning kopplar jag av. Det är lustfyllt och har glasets genomskinlighet."

Flickan och sjömannen, akvarell, 50×40, 1987.

Glad dag, målat friblåst fat i överfångsteknik med påklipp d 47, 1986.

Manshuvud, kristall, h 40, 1985, övermålad.

Ormrökare, målad kristall, h 50, 1987.

Ormvas, friblåst och målad vas med påklipp, h 45, 1986.

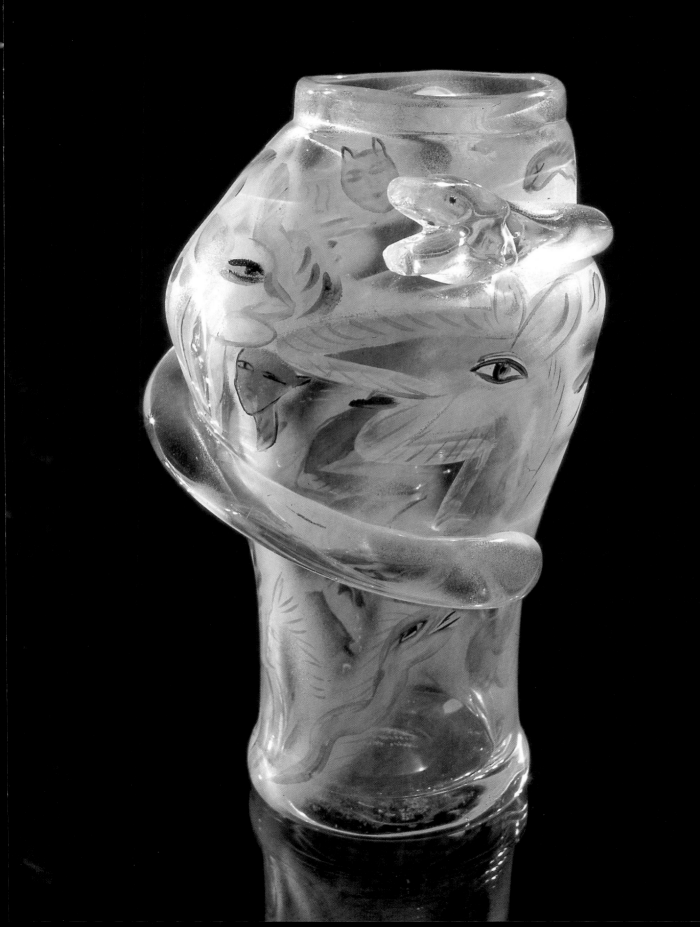

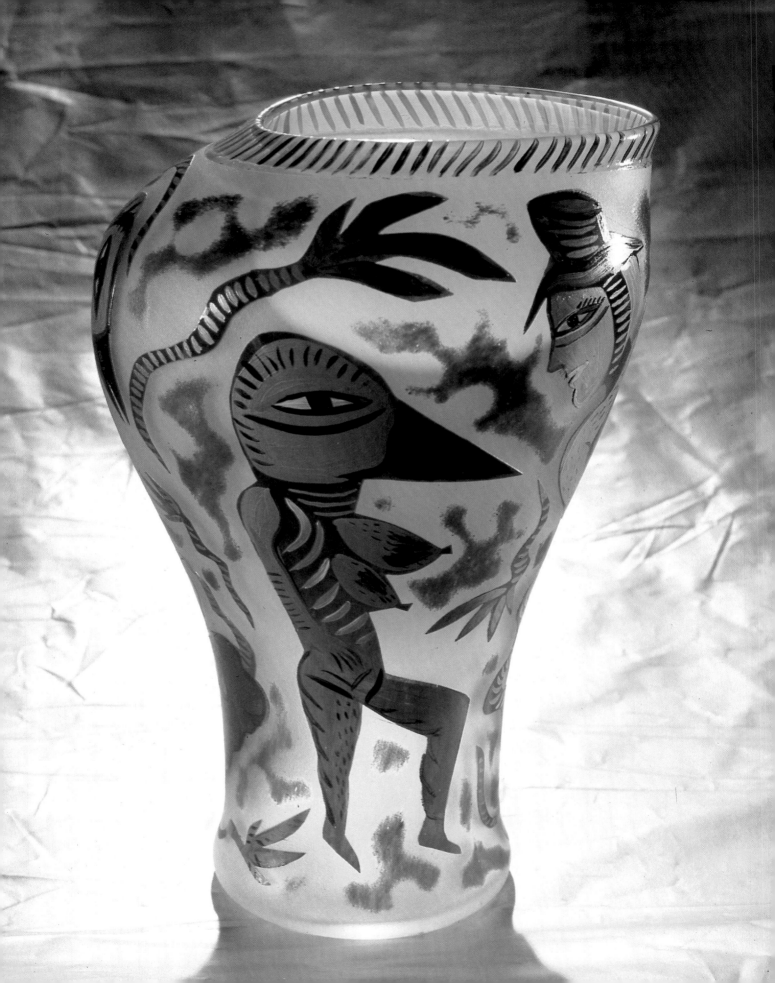

Kvinnokraft, akvarell, 50 × 36, 1986.

Starka känslor, friblåst vas i juvelteknik, h 37, 1987.

En stilla dag, akvarell, 50 × 40, 1985.

I evighet, akvarell, 50 × 40, 1986.

Familjebild II, akvarell, 50 × 40, 1987.

Familjebild I, akvarell, 50 × 40, 1987.

Punkare och Nalleman, akvarell, 55 × 40, 1987.

Nattens drottning, akvarell, 55 × 40, 1988.

Blue Heaven, målad friblåst vas i överfångsteknik med påklipp, h 23, 1988.

Kärleksakvarium, målat glas, h 24, 1987.

Ulrica använder för sina bilder på eller i glas olika tekniker, några är gamla och väl kända och andra är hennes egna. Graalglaset, som utvecklades vid Orrefors glasbruk 1916 av mästaren Knut Bergqvist och Simon Gate, bygger på att ett s k ämne byggs upp av olika färglager. Över det anfångade ofärgade glaset på pipan, en "post", kränger en annan glasblåsare ett färgat glasskikt från sin pipa. På så sätt kan man bygga upp färglager på färglager på ett ämne. Tekniken kallas överfång och kräver stor hantverksskicklighet.

Ämnet kyls sakta i ugn till rumstemperatur och bearbetas därefter på olika sätt. Färglagren på ämnet reduceras med hjälp av slipning, etsning, gravering eller blästring, så att ett mönster eller en bild uppstår. Vid nästa arbetsmoment värms ämnet upp på nytt och ett eller flera lager kristall fångas an runt om. Nu är glaset formbart och blåses upp till önskad volym. Det formas med olika redskap i trä eller enbart med hjälp av flera lager tidningspapper i handen till en vas, en skål eller en skulptural form. Vid blåsningen förändras ämnets bild, den växer, genom ett lite lätt utdraget linjespel på bredd och längd. Det är karaktäristiskt för tekniken graal. Denna gamla fina teknik har Ulrica använt och utvecklat vidare genom att måla ämnet med speciella färger, som tål en temperatur kring tusen grader. Innesluten i upp till fyra lager glasklar kristall, som fångats an upprepade gånger, spelar färgbilden upp sin intensitet och sina optiska effekter. Den från graal utvecklade tekniken

Blå känslor, kabale, h 30, 1990.

Mästaren Anton Koch med son Christer Koch, Åfors 1990.

Ulrica målar ämne för kabale, Åfors 1990.

Ämne för kabale, 1990.

Tuomo Nieminen klipper bort en luftbubbla från den glödande kristallmassan runt en kabale, Kosta 1990.

kallar Ulrica kabale efter hebreiskans kabbala, som står för något hemligt, mystiskt eller magiskt.

Det är en hektisk arbetsprocess, som kräver samordning och precision, stort kunnande och styrka av det arbetslag, som skall hantera den varma och formbara glasmassan på pipan. Kabalen eller "biten", som är glasarbetarnas namn på ett glasföremål, väger ungefär tjugo kilo och placerad längst ut på en pipa tycks den vara mycket tung att hantera i hettan.

Juveltekniken är också en ny teknik, som lämpar sig för målning, bildberättelser. Ulrica har utvecklat den ur en rad olika tekniker, som kombineras i ett och samma föremål. Här är utgångspunkten en "post" av färg, underfång. På denna fångas klart glas över och glaset blåses upp. Det yttersta lagret är färgat glas. Själva bilden byggs sedan upp genom sandblästring och behandling i syrabad. Därefter målas föremålet delvis med emaljfärg, som bränns i ugn upp till cirka 520 grader.

Sixten Stark kontrollerar temperaturen, innan kabalen placeras i kylugn. Kosta 1990.

Jan-Olof Augustsson och Ulrica. Kosta 1990.

Jan-Olof Augustsson med första anfånget klar kristall över kabaleämnet. Kosta 1990.

Mästaren Jan Nilsson och sonen Johan Nilsson, Kosta 1990.

Sixten Stark och Jan Nilsson, Kosta 1990. Sixten sätter en hylsa på kabalen som Jan senare skall driva. Det är ett kritiskt arbetsmoment.

Glas kan vara något med vars hjälp man berättar något, förmedlar ett innehåll, ett medium för att i bild tala om känslor, upplevelser, glädje, sorg mm. Det går att i detta spröda material föra en kamp om tex kvinnans frigörelse. Men då kan inte företagsekonomer eller produktutvecklare lägga hämmande hinder i vägen för kreativ utveckling. Glas är inte bara produktdesign. Liksom en målning, en teckning, en skulptur eller ett grafiskt blad kan det vara bärare av meddelanden. Men för att detta så tydligt som möjligt skall gå fram måste kunskaperna om mediet, om tekniker, hur man gör och hur man samarbetar och för intentioner vidare vara stora.

Hantverksskickligheten hos brukets arbetare måste hållas levande och utvecklas och lusten att skapa bilder och kunskapen om hur man arbetar i bilder måste finnas i ett lagarbete. Det kräver en unik situation i en industriproduktion, en situation som är arbetsintensiv, traditionell, värnar om gamla tekniker, fri och kreativt framtidsseende.

Jan Nilsson, Jan-Olof Augustsson och Ulrica 1990.

Johan Nilsson bär kabalen till kylugnen 1990.

Kabalen knackas av pipan.

En lycklig morgon, kabale, h 26, 1985.

En djungellek, kabale, h 23, 1987.

84. *Garden party, kabale, h 31, 1987.* →

85. *Kärleksvas, kabale, h 27, 1986.* →

Sunny day, kabale, h 22, 1989.

Bliv hos mig, akrylmålning, 119 × 90, 1989.

Mysterious woman, kristall, h 36, 1989.

Scandal beauty, målad kristall, h 34, 1989.

Sid 90 →
Överst t v Happy hour lady, målad kristall, h 30, 1989.
Överst t h Valp nos lady, målad kristall, h 48, 1989.
Underst t v Nutidskvinna, målad kristall, h 32, 1989.
Underst t h Skimrande landskap, målad kristall, h 18, 1989.

Sid 91 →
Överst t v Stora tankars man, målad kristall, h 40, 1989.
Överst t h Nära dig, målad kristall, h 32, 1989.
Underst t v Narcissus, målad kristall, h 35, 1989.
Underst t h Happy hour lady, målad kristall, h 30, 1989.

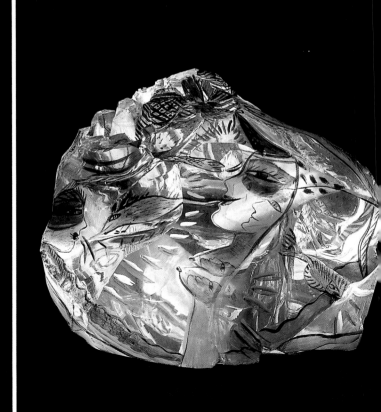

Friends, akrylmålning, 90 × 119, 1989.

Triangel of love, oljemålning, 120 × 100, 1989.

Passion, akrylmålning, h 105, 1989.

Clown, akrylmålning, h 105, 1990.

Loverboy, akrylmålning, 102 × 73, 1990.

Catman in blue, tuftad matta, 90 × 70, 1990.

98. Crystal afternoon, detalj av målat kristallblock, 1990. →

99. Passion, detalj av kristallblock, 1990. →

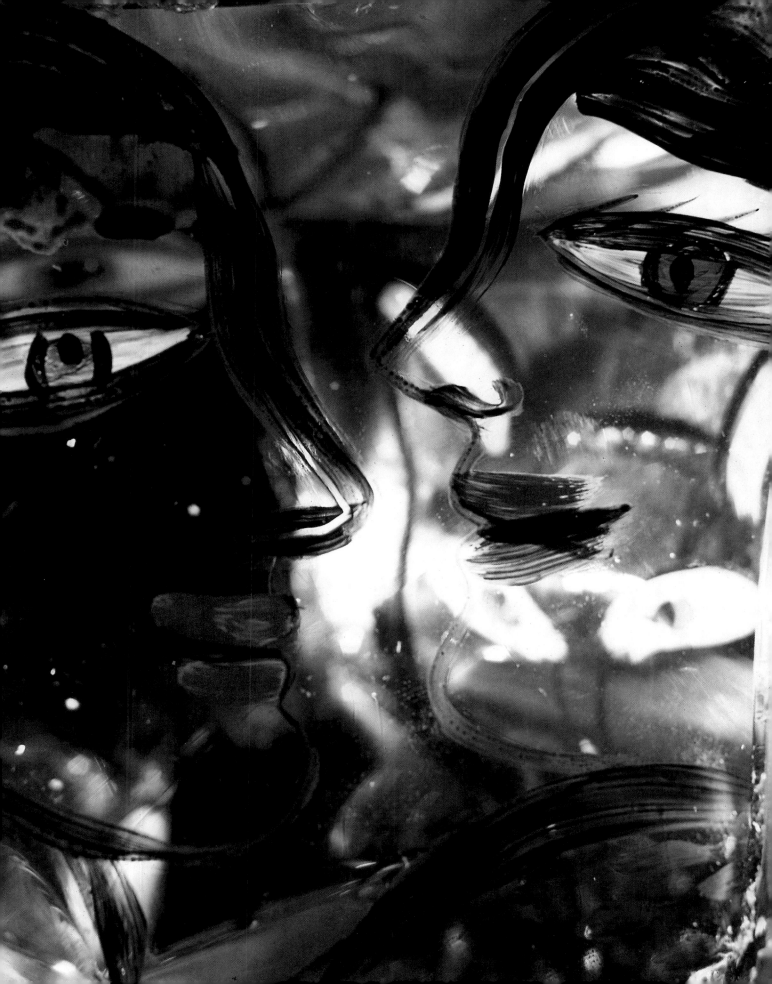

Bromsastugan 1963.

Ulrica Hydman-Vallien

Biografi

Stig Lindberg, Narcissus, chamotte, 1945.

Lis Husberg, lergods, 1960-talet.

1938
Ulrica föds i Engelbrekts församling, Stockholm. Hon är äldst av fem syskon och växer upp i Österskär och Åkersberga strax norr om Stockholm. Pappan är egen företagare och mamman konstnärligt begåvad och inspirerar tre av syskonen att välja konstnärliga banor. Brodern Hubert utbildar sig till silversmed och kommer att arbeta i en stram, konstruktiv stil. Systern Rebeckha, som är 20 år yngre än Ulrica, är bildkonstnär och hon arbetar också i en stram plangeometrisk stil.

1954
Tar realskoleexamen.

1955–57
Går på Tollare Folkhögskola i Nacka.

1958–61
Utbildning på Konstfackskolan i Stockholm. Huvudlärare på avdelningen för glas och keramik var Stig Lindberg (1916–1982, professor 1970). Redan på 1940-talet framträdde Stig Lindberg med lekfulla, fria skulpturala former i en naivistisk stil. Han hade också redan 1937 varit verksam vid Gustavsbergs fabriker och från 1949–56 varit konstnärlig ledare där, innan han 1957 blev huvudlärare vid Konstfack.

Under de två första åren på Konstfack var keramikern Lis Husberg den viktigaste läraren för Ulrica. Lis Husbergs egen keramikproduktion verkade inspirerande på Ulricas arbeten. De nybarocka formerna, de djärva glasyrerna och de skulpterade blomstergrupperna på skålarnas eller fatens kanter upplevdes som något fritt och stimulerande, något nytt inom keramikens värld. Lis Husbergs arbeten var respektlösa gentemot ett traditionsfyllt förhållningssätt. En lång, obruten östasiatisk form- och glasyrtradition hade något tidigare börjat luckras upp i Sverige genom de fria, abstrakta former, som Stig Lindberg, Anders B Liljefors och Hertha Hillfon redan börjat arbeta med och visat på utställningar.

1959 och 1960
Sommarpraktik hos keramikerna Arne och Tulla Ranslet, Bornholm, Danmark.

Arbeten från Konstfack, 1961.

Arbete från Bornholm, 1961.

1960–61
De två sista åren på Konstfackskolan går Ulrica och Bertil Vallien i samma klass och de förälskar sig i varandra.

1961
Efter avslutad utbildning arbetar Ulrica hos Arne och Tulla Ranslet på Bornholm.

På hösten åker Ulrica till Los Angeles, USA, där Bertil sedan i april, tack vare ett Kungastipendium, arbetat på Hal Fromhold Ceramics. Breven mellan Bertil och Ulrica blir tätare och tätare och i september åker Ulrica på emigrantvisum.

Hon arbetar med lera skulpterad till husliknande kompositioner med torn och tinnar och försörjer sig som sömmerska på en stor textilfabrik. Möter för första gången popkonsten på gallerier i Los Angeles. Andy Warhols målningar

Slott, stengods, Los Angeles, USA, 1961.

föreställande konservburkar med soppa från Campbells' gör ett starkt intryck. Tiden i Los Angeles var en viktig tid. I samma ateljé, som Bertil och Ulrica arbetade, fanns också konst- och arkitekturstudenter som John Jerde, Tom Wilks m fl.

Många resor till Mexiko.

1963

Under fyra månader reser Ulrica och Bertil med bil genom USA, Mexiko och Guatemala. De förlovar sig i mars i Mexiko City.

I april åker de från New York med fartyget Gripsholm till Göteborg. Bosätter sig i Åfors i Småland, eftersom Bertil anställts som glasformgivare vid Åfors glasbruk av Åforsgruppen (senare Kosta/Boda). Anställningen omfattar inledningsvis arbete vid glasbruket under sex månader per år. Erik Rosén var chef för bruket.

Köper den s k Bromsastugan i Åfors, ett 1700-talshus som tillhört smeden Broms.

Bertil och Ulrica gifter sig i Växjö i september. Öppnar keramikverkstad i den gamla kvarnen i Åfors tillsammans med Bertil. Lokalen är nu riven.

Ulrica arbetar med figurskulpturer i lergods och stengods samt bruksföremål, tekannor, skålar, äggkoppar m m. Figurerna är oftast dekorerade med en vit engobegrund och målade med tecknade linjer i kobolt och järnoxid. Skålar och äggkoppar är oftast försedda med röd, blå, orange eller gul glasyr.

1964

"Unga tecknare", Nationalmuseum. Ulrica deltar med två teckningar i blyerts.

"Form Fantasi", samlingsutställning, Liljevalchs konsthall, Stockholm. Ulrica deltar med keramik.

Bromsastugan tillbyggd.

103

Gamla Verkstaden i Åfors 1964.

I ateljén 1964.

1965
I juli föds första barnet Hampus.

Debututställning hos Konsthantverkarna, ett konsthantverkskooperativ, i Stockholm. Utställningen omfattar lergodsfigurer, skålar, burkar, ljusstakar och slott.

"Just nu händer det något inom svensk keramik." (Katja Waldén i Expressen 18.5.65.)

"Popåret framskrider och påverkar tingens ordning här och där. Så långt som till keramikern vid sin drejskiva eller konsthantverkarnas fasthållande vid eviga material och kvalitetsvärden, hade man kanske inte tänkt sig att det skulle hinna före sommaren." (Rebecka Tarschys i Dagens Nyheter 4.5.65.)

"Som helhet kan väl slutligen sägas, att vi med Ulrica Hydman-Vallien fått en ny ung keramiker med eget och intressant ansikte. Det skall bli roligt att följa hennes fortsatta utveckling." (Gerd Reimers i Svenska Dagbladet 28.4.65.)

Smålands museum, Växjö. Deltar i en samlingsutställning.

"Unga tecknare", Nationalmuseum, Stockholm. Ulrica deltar med en svit teckningar.

Slott, lergods, 1964. Tillhör Nationalmuseum, Stockholm.

Mor och barn, lergods, h 25, 1964.

Ulrica drejar, 1964.

Ulrica, Hampus och Markus en Luciadag.

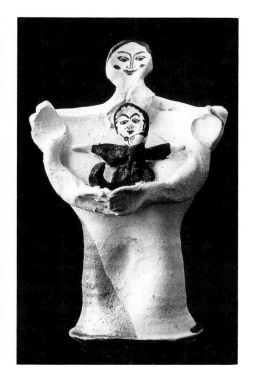

1966

"Nylera", Hantverket, Stockholm. Sex elever till läraren Stig Lindberg ställer ut keramiska arbeten. Det är förutom Ulrica keramikerna Bengt Berglund, Margareta Swahn-Furtenbach, Lars Hellsten, Britt-Ingrid Persson och Bertil Vallien. "Han (Stig Lindberg) måste sägas vara en enastående inspiratör, och dessutom har han tydligen en fin förmåga att lära och vägleda utan att binda och hindra." (A F i Sydsvenska Dagbladet 24.4.66.)

"Ser man dem som keramiker, är det lätt att se det som är nytt, det som är en frigörelse framför allt från keramiska normer och formler. De demonstrerar en inställning som säger att allt är tillåtet och allt är möjligt. De är optimistiska på ett sätt som är smittsamt stimulerande. Ser man dem som skulptörer, tycker man kanske att det nya inte är så märkvärdigt, det är inte tillräckligt nytt eller tillräckligt djärvt. Det finns ändå förebilder. De verkar konventionellare, och framför allt blir de dekorativa egenskaperna iögonfallande och dominerande. Dessa egenskaper, som är väsentliga i keramiken, blir ett tecken på ytlighet i skulpturen, där man inte väntar sig att det dekorativa skall vara det väsentliga. Där väntar man sig ett uttryck, och dessa arbeten har ett lågt uttrycksvärde. De är glada, trevliga, uppfinningsrika, vackra eller roliga, beundransvärda på många sätt. Dessa egenskaper, liksom bristen på uttryck, kan de ha gemensamt med många saker som ger sig ut för att vara skulptur, men som ändå inte är det. Det har inte med materialet att göra. Inte i första hand.

107

Skålar, lergods, 1964–1966.

På väg mot himmelrike med bomber, lergods, 1967.

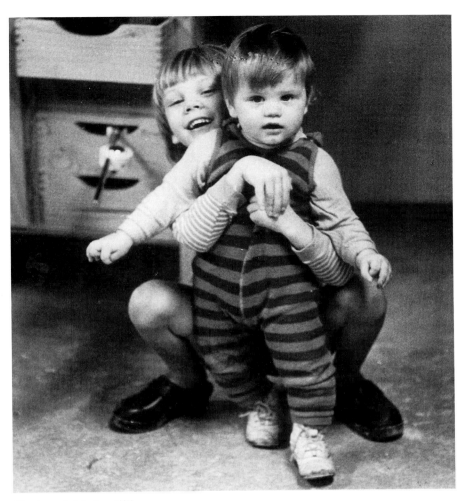

Hampus och Markus 1970.

Vi står bara och glor, lergods, 1968.

Pjäserna själva förändras inte, men de kan utlösa olika reaktioner beroende på våra olika förväntningar. Våra reaktioner blir mest positiva om vi ser dem som keramik." (Torsten Bergmark i Dagens Nyheter 21.5.66.)

"Hon leker fram sagoslott med flaggor i en bilderboksklar kolorit, formar graciösa figuriner som erinrar om Meissens 1700-tal." (Eugen Wretholm; Konstrevy 4.66.)

Blå Boden, Värnamo, teckningar av Ulrica och keramik av Bertil Vallien.

"Modern Miljö 66", Örebro läns museum, Ulrica tillsammans med Bruno Mathson, Anders Pehrson, Bertil Vallien samt Emma Wiberg.

"Unga tecknare", Nationalmuseum. Ulrica deltar med två teckningar i tusch.

1967
"För formens skull", TV-film om Ulrica och Bertil gjord av Bo Billtén.

I mars föds andra barnet Mathias.

"Tre Konsthantverkare", Bodens Konstgille, utställning tillsammans med Per Arne Terrs Lundahl, silver, och Mary Moeschlin, textil.

"Unga tecknare", Nationalmuseum. Ulrica deltar med två teckningar i tusch.

Röhsska konstslöjdmuseet, Göteborg. Deltar i en samlingsutställning.

109

Medlemmar i ballongklubben, 1970.

1968

Åfors Ballong- och Raketklubb bildas tillsammans med Erik Höglund, Per-Arne Lundahl, Rolf Sinnemark, Ann Wärff (Wolff), Göran Wärff, Nils Gunnar Zander, Jan och Margareta Åfors m fl. Varmluftsballongen Emielie inköps av Bertil hos Don Piccard i Los Angeles. Ballongen är av gul och blå nylon med ett vitt och rött band runt magen. Störande reklam finns ej.

"Keramik", Form Design Center, Malmö.

"Hon får mig att minnas hur en gammal professor i romanska språk definierade begreppet historia (han var expert på franska verbs tempus): 'Historia är allt som sträcker sig från Hedenhös till Nu.' När det gäller denna keramiska skulptris från Småland finns det ingen anknytning till någon historisk tradition som hon inte *själv* varit med om att skapa. Hon skapar traditionen." (Carin Nilsson Sydsvenska Dagbladet 23.3.68.)

"Unga tecknare", Nationalmuseum, Stockholm. Ulrica deltar med en svit teckningar.

Keramikreliefer till låg- och mellanstadieskolan Lindsdal.

Konstmuseet, Kalmar. Utställning omfattande keramik. "Ulrica Hydman-Valliens keramik är knappast lik någon annans. Den vimlar av infall och lustiga krusiduller. Vem har tidigare kommit på att låta en figur i en pratbubbla tala om att han är gjord i Sverige!" (Tage Apell i Östra Småland 20.9.68.)

Varmluftsballongen Emielie, 1968.

110

Tillsammans, lergods, h 30, 1967. Tillhör Röhsska konstslöjdmuseet, Göteborg.

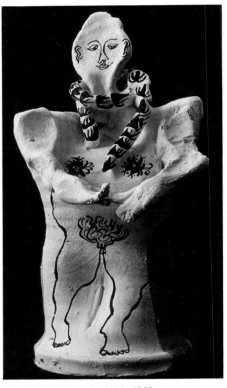

Glad och fri, lergods, h 25, 1963.

"Lergods", Norrköpings Museum. Ulrica ställer ut tillsammans med Lis Husberg.

Vinner en souvenirtävling med en lerfigur utrustad med pratbubbla. Tävlingen arrangerades av Svenska Slöjdföreningen.

"Glas & keramik i fria former", Röhsska konstslöjdmuseet, Göteborg. Tio konsthantverkare. Utställningen går vidare till museer i Malmö (1968) och Sundsvall (1969).

"Därmed manifesteras en tendens inom svenskt konsthantverk som blivit alltmera påtaglig de senaste åren – nämligen att gränsen mellan konst och konsthantverk suddas ut... Hydman-Vallien leker fram sin samtidskritik. Lekfulla dockfigurer byggs upp till hela sällskap, det är illustrationer till

Bomber, lergods, h 25–45, 1965–1968.

Lady med raringar, blyerts, 35 × 53, 1969. Tillhör Nationalmuseum, Stockholm.

välfärdssamhället, med vin, frukt och pain-riche på lördag, det är jublande hurra-va-vi-är-bra-svenskar och det är exploderande bomber bland svältande Biafra-barn.” (Chrispin Ahlström i Göteborgs Posten, 13.10.68.)

Mathias ett och ett halvt år omkommer i en olycka i december.

1969
”Unga tecknare” på Nationalmuseum, Stockholm. Ulrica deltar med fyra teckningar och museet inköper två av Ulricas blyertsteckningar i serien ”Lady med raringar”.

”Modern Ceramics”, Geofery Beard Gallery, London.

Sonen Markus föds i oktober.

Bertil, Markus, Hampus och Ulrica, 1970.

Dödsänglar, målat lergods, h 30, 1968.

1970
Galleri Terrs, Växjö. Utställning omfattande målningar och teckningar.
    Bibliotekstjänst, Lund. Utställning arrangerad av konstklubben.
    Bildar tillsammans med tio formgivare i Glasriket Aktiebolaget Vet Hut.
Mer eller mindre tokiga idéer kläcks, några realiseras, t ex en blå och gul
polkagris, en galen porrkalender, ett spel och brevpapper.

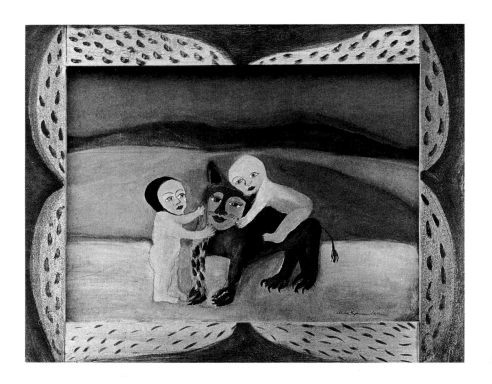

Tillsammans i trygghet, olja, 1972–73.

På väg mot det okända, olja, 1972–73.

116

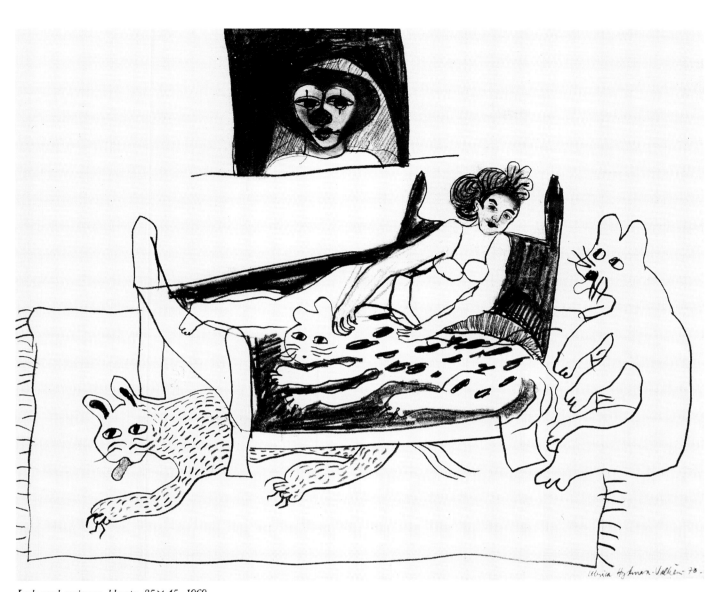

Lady med raringar, blyerts, 35 × 45, 1969.

1971
"Unga tecknare", Nationalmuseum, Stockholm. Ulrica deltar med fem teckningar.

"Ting och bruksting", Liljevalchs konsthall, Stockholm.

"Ulrica Hydman-Valliens 'Mina raringar' är allt annat än rara. Den sköna glasyren blir på något sätt ursäktlig när den används för monster och vampyrer." (Anne-Marie Ericsson i Dagens Nyheter 25.7.71.)

117

Optikon, optikblåst i turkos degelfärg, mindre serieproduktion, 1971.

Bosjökloster, Skåne. Ulrica deltar i en samlingsutställning för första gången med glas. Serien "Optikon" i blått glas visas. "Jag ville göra något vänligt och lätt utan konstiga former, något vardagsvackert", berättar Ulrica i en intervju med anledning av det nya glaset, som genast säljs slut.

Hemslöjden, Kalmar. Ulrica visar glas, bl a serien "Optikon".

Under hösten börjar Ulrica experimentera med att måla på glas. Hon bränner det till en början i den egna keramikugnen.

1972
Glasmålningstekniken utvecklas alltmer.

Atrium, Göteborg. Utställer glas.

"Bra marscherat på ett år", skriver någon i pressen.

"Lera", Eskilstuna konstmuseum.

"Unga tecknare", Nationalmuseum, Stockholm. Ulrica tilldelas årets pris.

Kung Gustaf VI Adolf köper en blyertsteckning i serien "Någon annanstans".

Målade glaspokaler, h 35–40, 1971.

Gustaf VI Adolf och Ulrica 1972 på Nationalmuseums utställning Unga tecknare.

"– Du har köpt en keramikskål av mig en gång förut, sa Ulrica inte vidare blygsamt.

– Jaså, svarade kungen. Då ska jag väl köpa den här också." (Expressen 14.4.72.)

Nationalmuseum förvärvar som gåva av donatorn till stipendiet Unga tecknare en blyertsteckning ur serien "Någon annanstans".

"Nu är hon ju visserligen ingen vanlig krukdrejerska utan en flicka med fantasi, som bygger keramiska sagoslott med tinnar och torn, blommor och flaggor och tillverkar ljusstakar som ser ut som kvinnobyster.

Hennes teckningar är romantiska improvisationer under rubriken 'Någon annanstans'. I dessa erotiska drömmerier är mannen ett leopardfläckigt eller tigerstrimmigt kattdjur, som kretsar kring kvinnan placerad i något slags huskub eller är det ett glashus?" (Eugen Wretholm i Veckojournalen, april 72.)

119

Trygghet med alla barnen i famnen, olja, 1970.

Glasserien "Tintomara" börjar tillverkas. Ulrica använder färgkross i olika färger. Det anfångade ofärgade glaset rullas, välsas, i mångfärgat krossglas och bearbetas sedan vidare genom blåsning och drivning på vanligt sätt. Flera färger kan fångas upp på glaset samtidigt och arbetena blir aldrig identiskt lika.

Liljevalchs konsthall, Stockholm. Sommarutställning. Ulrica visar skulpturer i keramik. I en text till utställningen skriver hon: "Jag har gjort husgudar och keldjur i lera. Keldjur som bara i tanken fungerar som sådana. Vore de mjuka, varma, levande, precis så som de ser ut i leran, skulle jag alltid ha dem under tröjan. Jag har velat visa min önskan om keldjur. Husgudarna är till för oss som ingen annan gud har, något väsen att formulera sina tankar till. När keldjuren och husgudarna väl finns här, färdiga med blickar och uttryck, inbillar jag mig att de är verkliga, besjälade på något sätt. Därför tycker jag om dem."

Galleri Glemminge, Glemmingebro i Skåne. Utställer teckningar.

NK, Stockholm. Bertil och Ulrica utställer glas. Utställningen flyttas något senare under året till Boda glasbruk.

Kattkvinna med älsklingar, olja, 1973.

Katten och Ulrica 1964.

121

*Keldjur, akrylmålat och glaserat
stengods, 1972.*

Målad glasflaska, h 25, 1972.

Ensamhet, emaljmålat glas, h 30. 1972.

Sorglig kattkvinnoängel, målat glas, h 30, 1972.

Husmorsängel i syndig skepnad, 1974.

Bliv min kära I, blyerts, 40 × 40, 1973.

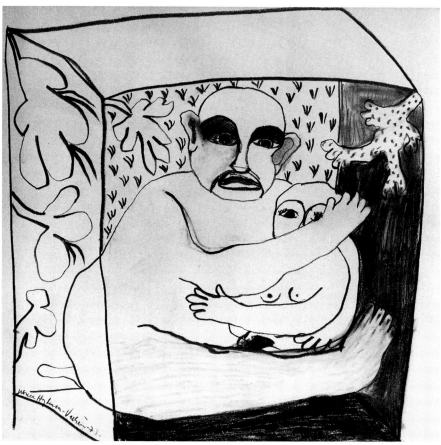

Bliv min kära II, blyerts, 40 × 40, 1973.

Tillsammans i trygghet, olja, 1974–75.

Röd prick, glas, 1974.

1973

Galleri Lucifer, Skövde. Utställer målningar och teckningar. "En sagovärld. En bildvärld, som vi kanske inte tror på, men som vi vet finns – eller fanns. Livsglädjens bekymmerslösa vandring i barndomens blomstrande riken. Men det finns också allvar i hennes bilder – sagodjur är oberäkneliga. Och deras samspel med människofigurer ger bilderna en extra dimension – oroande ibland men också ibland fylld av ett slags tyst glädje över livets och drömmens rikedomar." (Hjo Tidning 20.3.73.)

Lilla Konstsalongen, Malmö. Utställer målningar och teckningar. "Ulrica Hydman-Valliens blyertsteckning är i all sin medvetna 'konstlöshet' egendomligt suggererande. Kanske är det teckningar från barnkammaren med tyglejonen och Fantomenklubbens diplom, kanske är det teckningar från en prostituerads verklighet med dess lite dållia jellon, kanske är det helt enkelt tydliga sinnebilder för det borgerliga livet i allmänhet. Ty teckningarna känns igen, man känner igen sig i den värld Ulrica Hydman-Vallien beskriver. Och det är förstås lite oroande, lite pinsamt.

I dessa teckningar finns inga tillfälliga effekter. På utställningen finns 29 st. Alla visar de att enkelheten, 'osäkerheten', stelheten i linjer och kurvor är djupt medveten och att 'oskickligheten' i själva verket är resultat av en stor skicklighet." (Torsten Weimarck i Arbetet 12.5.73.)

Glasserien "Romantica" börjar tillverkas.

Erhåller tvåårigt arbetsstipendium.

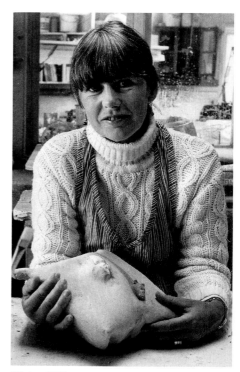

Ulrica 1974.

En kylig dag, teckning, 1975.

Råttpokaler, glas, 1975.

1974
Galleri Doktor Glas, Stockholm. Utställer målningar, teckningar och keramik.

"Ofta avbildar hon det lyckliga paret eller den lyckliga familjen. Människorna klär sig i små mössor av fläckigt kattskinn – vilket kan tolkas som en symbol för sinnlighet. (I äldre tider var leopardskinnet en libidosymbol.) Endast de nyfödda saknar djurattribut och avbildas helt nakna.

Men mitt i idyllen lurar en fara. Rovdjuret och demoner är verksamt nära. De vassa klorna syns, och ibland gör de rispor i skärt, mjukt hull. Tydligast märks hotet i teckningstrilogin 'Bliv min kära', där sexualitet och våld utvecklas jämsides." (Anne-Marie Ericsson i Dagens Nyheter 9.5.74.) "När Ulrica tecknar arbetar hon på ett skenbart barnsligt sätt och genom bilderna förs man in i en kvinnovärld av det tveksamma slaget. Det är FIB-Aktuellt fast tvärt om. Loja damer i korsett och strumpeband låter sig uppvaktas av spinnande leoparder och brunstiga hundar. Det är som att rycka upp fel dörr och bevittna nåt som är både pinsamt och lockande. På de färgsprakande oljemålningarna tassar katter med människoansikten fram och spinner för den som vill följa med in i fantasins rike." (Tidskriften Glas och Porslin 1.74.)

Galleri Bonnier, New York, USA. Utställer tillsammans med Bertil unika arbeten och serieproducerat glas. Det färgade glaset väcker uppmärksamhet hos en amerikansk publik, som är mer van vid att förknippa svenskt glas med slipad, glasklar kristall.

Heals Gallery, London. Utställer glas.

Rosenthal Studio, Köpenhamn. Utställer glas.

Ulrica och barnen vintern 1975.

Blue spice, glas, 1976 och 1986.

1975

"Adventure in Swedish Glass", en samlingsutställning som vandrar runt i Australien under en tvåårsperiod. Ulrica deltar med målat glas, bl a skulpturer och flaskor. Skulpturerna är friblåsta och formade bubblor. I katalogens text skriver Ulrica om sina arbeten: "Jag vill uttrycka något lekfullt, vill visa på en annan värld än den alldeles vanliga. Jag vill måla mina figurer på glaset, så att de kan flyga och springa, tills bubblan spricker."

Hotell Linden, Emmaboda. Ulrica utställer i hemtrakten och visar sin första utställning i Emmaboda. Den omfattar till största delen målningar samt teckningar och keramik.

"En sorts hotad trygghet vill Ulrica Hydman-Vallien få fram i sina tavlor med starka, glada färger. Hennes figurer är varken människor eller djur, utan någon sorts med sfinxen besläktade sagoväsen, overkliga men inte omöjliga." (Anna Cathrin Bloom i Smålandsposten 19.4.75.)

Silverbergs, Malmö. Utställning omfattande unika arbeten och glas i serieproduktion.

Galleri Mors Mössa, Göteborg. Ulrica ställer ut målningar och keramik.

Pappaskål, stengods, h 30, 1975.

Urdjur med ryttare, akrylmålat stengods, 1976.

Moderhäxa, stengods, h 50, 1977.

"Viljan att artikulera sig i form visar sig i ramarnas utsmyckning. Egentligen har Ulrica Hydman-Vallien sin utgångspunkt i keramiken. På utställningen finns en mängd figurer i stengods eller keramik, bemålade med akrylfärg. Djurmänniskorna kommer här igen, självsäkrare, bredaxlade, kattliknande. Teckningen frigör sig från och fungerar ibland oberoende av formen, skulpturerna har en tydlig framsida. Figurernas former anknyter till primitiv skulptur och hennes 'Husgudar' om man vill till indisk religion, men samtidigt har alltsammans en lite 'sjuk' lockelse." (Carina Hedén i Göteborgs-Posten 15.3.75.)

"Det är en högst speciell bildvärld man kommer in i via målningarna och keramiken på denna utställning – en som skulle kunna ha rötter ner i en av dessa fantasivärldar befolkade med sällsamma väsen som ensamma barn kan dikta sig in i. Ord som *trygghet* och *tillsammans* återkommer gång på gång i bildtitlarna, och ofta förekommer en storögd, mestadels naken kvinnovarelse med kattöron – möjligen en spegling av drömjaget." (Tord Baeckström i Göteborgs Handels- och Sjöfarts Tidning 27.3.75.)

1976
"Lera", Norrköpings Museum. Ulrica ställer ut målningar, teckningar, keramik och glas.

Porträtt, tuschteckning, 41 × 30, 1976. Tillhör Nationalmuseum.

Galleri Doktor Glas, Stockholm. Ulrica deltar i en samlingsutställning.
Glasserien "Butterfly" börjar tillverkas. Det är den första målade glasserien som görs i Åfors under denna den andra målningsperioden.

1977

Kalmar Konstmuseum. Ulrica utställer keramik och Bo Mossberg måleri.
"Hon har rensat bort allt krafs och gör nu rena, robusta arbeten – främst i stengods. Själv kallar hon sina figurer för 'rituella' och det kan väl vara riktigt. Man får onekligen intryck av att befinna sig i något slags nordiskt 'buddatempel', då man vandrar kring på utställningen! Ynglingar med rejäla fallosar och med horn i pannan blandas med bastanta matronor, som vid närmare eftersyn är på något sätt knepiga, de också!...

Ocean, Artist collection, 1978.

Glasskål, c 1975.

Eva Stjernkvist, glasmålare i Åfors 1987.

Ulrica 1974.

Figur i stengods, 1977.

Ursprungsfigurer, stengods, h 50–60, 1977.

Ulrica Hydman-Vallien arbetar medvetet med grova ytor och förenklade former och uppnår därigenom en våldsam uttrycksfullhet, som bra mycket knyter an till de arbetssätt våra forna 'hällristningskonstnärer' använde sig av. Det här är en vital och handfast konst, som förefaller vara mycket definitiv, slutgiltig.

Ulrica i ateljén omgiven av Bertils båtar.

Det är anslående att en så ung kvinna som Ulrica Hydman-Vallien ändå har förmått kämpa sig fram till en så självklar formvärld, som den hon nu visar upp. Vi är glada och lyckliga att ha henne här nere i våra trakter." (Tage Apell i Östra Småland 3.10.77.)

"Fri Keramik", Lunds Konsthall. Ulrica deltar i en samlingsutställning vid årsskiftet 77–78 omfattande sexton inbjudna keramiker till största delen från Sverige.

"Den starkaste magin utstrålade Ulrica Hydman-Valliens svarta kultföremål, fruktbarhetssymboler, besvärjelsefigurer. De står så långt från västerländska kulturbegrepp att man måste beundra hennes inlevelse i en främmande värld." (Catharina Bauer i Svenska Dagbladet 2.1.78.)

"...de mångfasetterade keramiska uttrycken fascinerade... Ulrica Hydman-Valliens arkaiska människostatyer i sin 'konstlösa' självklarhet där den svarta oglaserade leran ostört får tala." (Britt Olander i Form 3.78.)

1978

Galleri Doktor Glas, Stockholm. Utställer målningar och teckningar. "Ulrica Hydman-Vallien arbetar i lera och målade bilder med figurer som ofta, genom bl a materialsammansättningar, får en dragning åt ett surrealistiskt formspråk.

Hennes lerfigurer har denna gång också en tydlig pastischkaraktär och påminner starkt om vissa mexikanska precolumbianska kulturers lerfigurer. Jag har tidigare gjort invändningar mot den starka betoning hon lägger vid den dekorativa sidan i sina bilder och även om det är tydligt också denna gång, så finns det särskilt i målningarna stundom ett försök till en djupare komplikation som jag tror är nödvändig för att hon ska kunna utveckla sitt språk. Vissa målningar ger en antydan om att konstnären vill beskriva också en psykisk komplikation inom kvinnolivet (och människolivet) och det skulle vara intressant om hon vore på väg mot en ännu tydligare formulering av detta." (Beate Sydhoff i Svenska Dagbladet 4.2.78.)

Ulrica, Bertil och Potito, 1980.

Glasserien "Pastell" börjar tillverkas och för Rörstrands AB gör Ulrica porslinsserien "Poem" dekorerad med fuchsiablommor.

Galleri Mors Mössa, Göteborg. Utställer målningar och stengods.

"...de var både ironiska och fräcka: en kvinnofigur räckte ut tungan, en sittande kvinna hade en naken man i litet format stående mellan sina ben." (Lena Boethius i Form 8.78.)

"Färgen är smycklikt lysande i akvarellerna och småbilderna: fullt pådrag av hela paletten – en smula à la Chagall. I de större målningarna har koloriten fått en liten dämpad, lätt 'sotig' mättnad – mycket verkningsfullt." (Tord Baeckström i Göteborgs Handels- och Sjöfartstidning 27.10.78)

"Ocean" i Artist Collection börjar tillverkas. En gammal hantverksteknik tas upp i dess blå optikblåsta spiralmönster mot vitaktig grund. Linjerna ges en lätt vågrörelse, innan glaset kyles.

Nordiskt Glas, Smålands Museum, Glasmuseet, Växjö. En samlingsutställning.

"Glas på Galleri Doktor Glas", Stockholm. Sju glaskonstnärer ställer ut.

Från 1978 och ett par år framöver arbetar Ulrica periodvis tillsammans med Jan-Erik Ritzman på Kosta glasbruk. Några arbeten i graal och förenklad graal utfördes samt stora friblåsta vaser i kristall, som Ulrica själv graverade. Några har delvis en lätt slöja av rosa eller grönt överfång.

1979

Konstfrämjandet, Örebro. Ulrica ställer ut målningar och keramik. "Bilderna hör liksom ihop med skulpturerna. De har alla ett exotiskt inslag. Man får associationer till primitiv konst, till Afrika och även till Mexico... I stengodsskulpturerna är det exotiska särskilt markant. De har drag av fetischer, gestalter i svart, med suggestiva minspel.

Hennes vaser, skålar, krukor och tekannor i stengods är mycket vackra. Många har ljust bruna, skrovliga ytstrukturer, med dekorer som föreställer olika djur, mest ormar. Flera skålar är gracila ting. Tekannorna har på locket var sitt djurhuvud, som liksom organ." (Paul Andersson i Örebro Kuriren 21.3.79.)

"Ulrica Hydman-Vallien visar på Konstfrämjandet en helt annan, men bitvis närbesläktad bild av kvinnan som ett 'könsdjur'. I målningar och keramik manar hon fram kvinnor som något slags halvdjur med spetsiga öron, sköten bemålade som djurhuvuden.

Några män förekommer knappast i bilderna. Jo, i ett par fall förresten. I en skulptur står han som en ynkligt liten varelse framför en enormt stor djurkvinna. Annars föreställer målningarna genomgående kvinnor med ett eller flera barn omgivna av hyenor och kattdjur.

Målade pokaler, 1980.

134

Ormdans, förenklad graal, 1980.

Det hela är dunkelt men också sensuellt. Stilen både i keramiken och bilderna knyter nära an till primitiva kulturers sätt att gestalta. Man tänker på afrikanska familjegudar och lerfigurer som inhyser avlidna familjemedlemmars andar. Hon förstärker också intrycket av att bygga på naturfolkens kulturer, genom att smycka skålar och kärl med starkt förenklade mönsterslingor, stilise-rade ormar, mystiska tecken och figurer." (Okänd tidning i Örebro.)

"– Jag är 41 år och född i Stockholm. Jag gick de två sista åren på Konstfack tillsammans med Bertil och följde med honom till USA efter skolans slut. Där jobbade jag som sömmerska på en enormt stor syfabrik, men annars är jag utbildad till keramiker. Eftersom jag alltid varit intresserad av bilder så tecknar och målar jag mycket. Här på bruket sysslar jag en hel del med glas. Jag trivs och tycker livet är skönt. Kombinationen husligt arbete och konst passar mig bra." I en tidningsintervju i Östra Småland 27.10.79. ger Ulrica denna lev-nadsbeskrivning. "Jag har i alla fall haft utställningar i London, New York, Tokyo, ett flertal städer i Västtyskland och några i Italien!" avslutar hon intervjun med, som görs med anledning av tillfälligt designarbete för Rör-strands porslinsfabrik i Lidköping.

New Glass Review, Corning Museum of Glass, New York.

1980

Galleri Lucifer, Skövde. Ulrica ställer ut målningar och teckningar. "I sitt måleri är konstnärinnan som oftast mindre retorisk och berättar skimrande sagor om mänsklig ömhet och värme eller om paradisiskt harmoniska tillstånd men också om idyller som hotas av fulhet och ondska. Varulvar ligger på lur och hyenor söker byte. Symbolspråket är drömmens, där lätt tydbara tecken och rumsbildningar blandas med mystiska, osäkra och oroande." (Sten Eriks-son i Skaraborgs Läns Annonsblad 25.3.80.)

Bokcaféhuset, Kalmar. Ulrica ställer ut akvareller. "Alltså låter Ulrica blå grisar med åtta ben flyga på egna vingar genom lila moln, medan rödluvade tomtar sitter och vaktar på marsipanskära flickor, som lojt har placerat sina nakna kroppar i länsstolarna. Allt medan små, oansenliga karlar – med svan-

Kattdjur, graal, 1980.

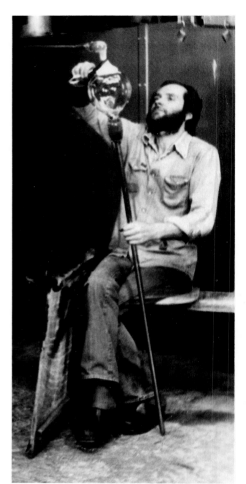

Fångna känslor, graverat glas, h 30, 1980.

Mästaren Jan-Erik Ritzman, Kosta.

sen där bak, stackarna – ser vilsna och bortkomna ut!" (Tage Apell i Östra
Småland 14.1.80.)

Galleri Lilla Nyborg, Borgholm. Ulrica visar målningar och är första utställare på galleriet, som är inrymt i en gammal köpmansgård från 1700-talet.
Byggnaden har en gång tillhört konstnären Vera Nilsson. Här kommer både
Ulrica och Bertil att ställa ut flera gånger.

"Hon har en sådan himla fantasi, den här flickan, så det är närmast ogörligt
att beskriva hennes bilder! Hotet mot allmodern med barnen markeras här och
var av att kraftiga blixtar far genom rymden och att otäcka ormar placerar sig i
huggställning. Det finns en herrans massa att titta på i Ulricas måleri, som i
övrigt är skönt som synden – eller om ni hellre gillar den bilden – som en bit ur
Guds himmel. Ibland, men bara ibland, blir färgen banalt söt, och det ska
Ulrica akta sig för." (Tage Apell i Östra Småland 19.5.80.)

Rosenthal Studio, Paris. Kosta Bodas formgivare ställer ut.

Ett timslångt TV-program görs av Jan Eriksson om Ulrica och Bertil med
titeln "Längtan efter något annat fast man har det bra".

"Tre flickor från Småland", NK, Stockholm. En glasutställning med Monica
Backström, Anna Ehrner och Ulrica, som visar graverat kristallglas, ormvaser
samt en serie svart glas med inplacerade bitar av millefiori. Glasblåsarmästaren Jan-Erik Ritzman på Kosta har svarat för glasarbetet. Ulrica visar egen-

Eva och Adam, graverad kristallvas,
delvis med tunt överfång, h 40, 1980.

I trygghet med dig, graverad kristall,
h 30, 1980.

Ulrica i Pilchuck.

Kärleksböna, friblåst och målad, h 25, Pilchuck 1981.

Dale Chihuly, Pilchuck.

Glashyttan i Pilchuck 1980.

Mot livet, stengods, detalj, 1980.

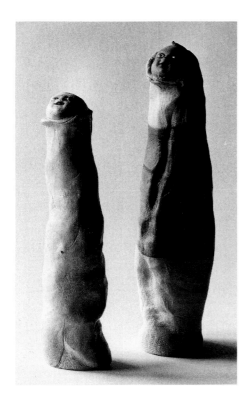

Mot livet, akrylmålat stengods, h 25–30, 1980.

händigt graverat glas. Med gravyrtrissan har hon tecknat direkt på kristallglaset. Det märks att hon stöter på ett visst tekniskt motstånd i bildberättandet. Det är inte alltid en nackdel.

"Nordiskt Glass", Konstmuseet F 15, Moss, Norge. En utställning som sedan vandrar runt i de nordiska länderna.

Ulrica får Emmaboda kommuns kulturstipendium tillsammans med glasblåsarmästarna Ingvar Jonsson och Sören Karlsson samt statens tvååriga konstnärsstipendium.

Ulrica inbjuds att deltaga vid Pilchuck School of Glass i USA. Hon arbetar för utställningen på Habatat Gallery, Michigan, USA. Ulrica deltar tillsammans med två andra glaskonstnärer från USA.

1981

"Katter och Hermeliner", Galleri Doktor Glas, Stockholm. Det är en utställning "apropå material (och fördomar i konstlivet) textil, glas, trä, lera med mera". Ulrica deltar med stora skålformer i stengods.

"Duchamps flasktorkare var åter på tapeten. Det var strax före mitten av 60-talet på Ragnar Josephsons Arkiv för dekorativ konst i Lund. Han ifrågasättande, tveksam, troligen också en låtsad sådan, för att höra våra ord, våra tankar. Inte provocerande. Det var ett prövande i frihet och ett försök att hålla konventioners låsningar på avstånd. Ett beslut om en definition blir så lätt en modell för, tror vi, hantering av verkligheten. Vår önskan att skapa reda, skapa fack för att göra världen mera lätthanterlig, gripbar, tror vi. Men tänk om vi tappar världen, verkligheten, i ivern att ordna och sortera?" (Mailis Stensman i katalogförordet.)

Ulrica inbjuds av Dale Chihuly att undervisa på Pilchuck School of Glass. Skolan grundades 1971 av bl a glaskonstnären Dale Chihuly. Den har betytt mycket för utvecklingen av en friare, konstnärlig syn på glaset och för en fortsatt utveckling av studioglasrörelsen. Ulrica kom under 80-talet att undervisa vid skolan under fem perioder.

Traver-Sutton Gallery, Seattle, USA. Ulrica visar arbeten utförda vid Pilchuck.

Habatat Gallery, Michigan, USA.

La Boutique Danoise, Paris.

Whatcom Museum of History and Art, Bellingham Wa, USA.

"Änglalik", Julutställning på Galleri Doktor Glas, Stockholm.

"Ulrica Hydman-Valliens bevingade, svarta, avklädda gubbe ser snarare ut som han klivit upp ur en mexikansk aztekgrav än svävat ned från himlen." (Kerstin Wickman i Stockholmstidningen 24.12.81.)

1982

Galleri Fenix och Wadköpingshallen, Örebro. Kulturnämnden arrangerar i två kommunala gallerier tillsammans med konstpedagoger, tecknings- och svensklärare ett projekt, där barn möter konst och skriver om sina upplevelser. Ulrica deltar med målningar.

"Crystal Clear", en utställning producerad av Föreningen Svensk Form och Svenska Institutet. Den visades i New York, Seattle och Chicago.

Galleri Smedhamre, Uppsala. Ulrica visar målningar och keramik. "Det glödde från väggarna i oktober då Ulrica Hydman-Vallien ställde ut målningar och keramik. I intensiva färger och ett ytterst personligt formspråk berättar hon om kvinnokänslor: lust och skräck, kärlek och modersroller." (Märit Ehn i tidskriften Form 1.83.)

"Kvinnan står i centrum för de flesta av hennes bilder. Den i konsten så ofta förekommande kvinnosynen nyanseras. Hon är inte längre madonna eller sköka. Än är hon förförisk och häxlik som en ond fe eller en krigisk amason, än liknar hon en oskyldig ängel i sin godhet och välvilja eller är den livgivande och närande modern. Folkkonsten och den primitiva konstens motivvärld känns igen här och var men utan att konstnären systematiskt har överfört lösningar ur dem i sin egen bildvärld. Instinkten, inbillningsförmågan och den intensiva upplevelsen av händelserna i det personliga livet har drivit fram dessa bilder.

Till kvinnan kopplas mannen. Mannens närvaro motiveras i stort sett med att utan honom kan det inte bli några barn. Här är det den ensamstående modern som talar, som lik ett vilddjur instinktivt och aggressivt, värnar om sina barns överlevnad. Det är de som helt och hållet dominerar tankar och känslor. Mannen bör foga sig, han degraderas till exempelvis en snäll hund eller en 'vem som helst' med mask över ansiktet...

Hon vill inte måla vackra och svalt oengagerade bilder. Viljan att förvränga är för henne densamma som viljan att förtydliga. Hon själv har visserligen mycket av dessa upplevelser redan bakom sig, med vuxna barn i sin familj, men för många yngre kan de problem hon bearbetar i sitt måleri kännas brinnande aktuella." (Kristina Mezei i Uppsala Nya Tidning 5.11.82.)

"Swedish Glass", Haarets Museum, Tel Aviv, Israel. Ulrica utställer glas tillsammans med Bertil och föreläser om svenskt glas på museet.

New Glass Review, Corning Museum of Glass, New York. Ulrica deltar med "Trapped Snake", utförd vid Pilchuck 1981.

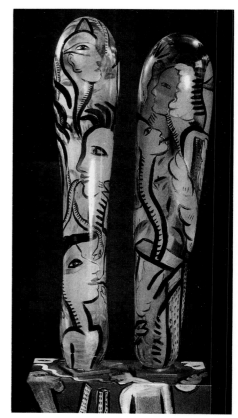

Fria relationer, friblåst och målat glas, 1985.

1983
"Glas i frihet", Lunds konsthall. Ulrica deltar med ödlor, fåglar, en krokodil och ormar.

"Glasriket har undet de senaste åren gungat kraftigt inför vågorna från lönsamhetsspökets utbrott. Då och då har gungningarna varit extra kraftiga. Det har klirrat i glasriket och åter igen har riket blivit en hytta fattigare...

Svenskt glas skapat med kunnande i material och form blev berömt över världen. Så berömt att de hantverksmässiga produktionsformerna alltmer mekaniserades efter löpandebandprinciper, vilket gav produkter som kunde säljas på sitt goda rykte som vilket handgjort glas som helst. Skrivbordsrationalisterna agerade i sin kyliga, beräknande okänslighet för konstnärliga kvaliteter (men känslighet för siffror) förblindade av maskiners plättande av glasklumpar till blinkande lampor. Ut ramlar partytallriker, skålar m m som försöker efterlikna sina slipade kusiner... Så är det när det är som mest illa.

Duvan 1984.

Är det detta svenskt glas skall ta upp kampen med på världsarenan? Eller är det de väl formgivna massproducerade tingen, presenterade för vad de är, kompletterade med en parallellt löpande hantverksproduktion fungerande som galjonsfigurer, stolta, fantasifullt prövande nya vägar. Fria.

Möjligheterna för frihet har starkt begränsats den senaste tiden. Snålblåstens kyla tränger in och verkar i de hetaste hyttor. Därför har de små självständiga studioglashyttorna alltmer växt fram sedan Åsa Brandt 1968 vågade det första steget i Torshälla.

Måtte de prövande experimenten, den unika produktionen, fungerande också som en form av grundforskning, få finnas kvar, tas på allvar och få möjlighet att utvecklas! Fantasin går inte på räls. Ibland blir krumsprången kanske extra uttagna i sina rörelser. Låt dem få vara det. Vi måste ha råd med det. För att ha råd att gå vidare." (Mailis Stensman i katalogens förord.)

NK, Stockholm. Ulrica visar glas.

Tillsammans vid köksbordet, 1984.

Ulrica.

141

Han kom i natten med en avhuggen gris på cykeln, tusch, 37×45, Gambia, 1983.

Förtryck, tuschteckning, 37×45, Gambia, 1983.

142

"Redan tidigare har hon framgångsrikt visat prov på glasgravyr, som också finns med på utställningen. Nu arbetar hon även i överfångsteknik, där figurerna sandblästras fram i olikfärgade glasskikt. Detaljerna målas. Metoden passar hennes bildspråk perfekt och flera av dessa glas hör till utställningens bästa. T o m ur den svåra graaltekniken, som vanligtvis förknippas med Orrefors' namn, utvinner hon nya och självständiga uttryck. Det finns en rikedom och kraftfullhet parad med koncentration och målmedvetenhet i form och bild, som gör denna utställning till en höjdpunkt i Ulrica Hydman-Valliens konstnärliga skapande." (Åke Livstedt i Svenska Dagbladet 8.10.83.)

"Svenskt Glas '83 – Prisbelönt design", En glastävling initierad av statens industriverk som ett led i produktionsfrämjande åtgärder inom glasindustrin visas på Nationalmuseum. Utställningen visas senare på Röhsska konstslöjdmuseet i Göteborg och på Centre Culturel Suédois i Paris. Ulrica prisbelönas för serien "Nyckelpiga", med handmålad dekor på drivna former. Hon visar samtidigt ett arbete i graal "September", som senare inköps av National Museum of Modern Art i Tokyo.

Vas, juvelteknik, 1984.

143

Galerie Dámon, Paris. Ulrica visar målningar och glas.

Glasgalerie Arti-Choque, Amsterdam. Ulrica visar glas i olika tekniker.

En av vinnarna i "The Women in Design" vid andra internationella tävlingen.

Hedersomnämnande "Utmärkt svensk form" med arbeten "You and Me", i glas.

"The Fantastic Image by Bertil Vallien and Ulrica Hydman-Vallien", Heller Gallery, New York. Ulrica visar glas och akvareller på ett av världens främsta glasgallerier.

Babydoll and lifeguard, målad flaska, h 26, 1985.

1984

Galleri Doktor Glas, Stockholm. Ulrica visar målningar, teckningar och glas.

"Det är lite av gammal hederlig futurism och expressionism över dessa bilder. Ytan är uppbruten som en sprucken spegel in mot lidelse och åtrå – en kulissvärld av lika delar ångest och lycka. Jag skulle vilja likna henne vid en fränare och uppriktigare Chagall." (Stig Johansson i Svenska Dagbladet 31.3.84.)

Form/Design Center, Malmö. Ulrica visar en utställning med målat och sandblästrat glas samt glas utfört i graal. "Ofta handlar det om relationerna mellan man och kvinna, inte sällan är motivet stora starka kvinnor och små förskrämda män... det är en osäker värld, också grym, med ensamma, utstötta, fula figurer. De är något slags urvarelser, så som vi alla är. Vi kan ju vara allt, gud, katt, skrämd råtta, ilsken råtta, ängel, urmoder... och graalglaset skulle ha fått pionjärerna Gate och Hald att hicka." (Bertil Palmqvist i Arbetet 4.84.)

"International exhibition of Arts and Crafts", Bratislava, Tjeckoslovakien. Ulrica deltar med glas.

Moderna Museet, Sao Paolo. En samlingsutställning med anledning av svenska kungaparets resa till Brasilien.

"Glass 84", Otani Memorial Art Museum, Japan.

Line of Scandinavia Gallery, London. Ulrica visar glas.

Galleri Lilla Nyborg, Borgholm. Ulrica visar målningar och glas.

"Ulrica Hydman-Vallien är också av den kalibern, att hon utan prut kan jämföras med de stora i världen. I varje fall har hon en fantasi, som inte många når upp till och ett så unikt 'bildspråk' att man närmast tappar andan. Det är bara ytterst sällan en så rikt begåvad konstnär uppenbarar sig på konstens himmel... Ulrica är revolutionär både i sitt tankesätt och bildskapande. Hon håller stenhårt på kvinnornas ledande roll, och hon är mycket medveten om kvinnornas betydelse." (Tage Apell i Östra Småland 26.11.84.)

"I Ulricas nutidsbilder faller anonyma grå höghus med tomma svarta rutor mot den skyddslösa familjen. I lyckliga ögonblick söker familjen stöd och skydd i sin gemenskap, ansikten vänds mot varandra och någon möter en sökande blick.

I andra bilder sprängs den splittrade människans huvud och faller sönder i mängder av delar. Vardagen består av så mycket, av så många måsten, av så många roller och så många krav som skall uppfyllas." (Gunilla Petri i Barometern 27.11.84.)

Fria relationer, målat glas och podie,
h 200, 1986.

Affisch till invigningsutställningen på
Djurgården 1986.

1985

I New Work 21/22, New York införs en stor artikel skriven av Karen S Chambers.

Länsmuseets konsthall, Karlskrona i samarbete med Centrallasarettets konstklubb. Ulrica visar målningar, keramik och glas.

"Hon verkar själv vara samma explosiva vara som hennes konst... det är i målningarna man får veta det mesta om hennes syn på verkligheten och livet... Det är puls och fart. Nästan kaotiskt – som vår tid ofta är. Hon komprimerar världen i sina bilder. Nästan allt finns med. Det är transistorapparater och TV-apparater. Sladdar och lampor. Mjölkpaket och burkar. Och människor. Nästan groteska ibland. Men de ser faktiskt ganska snälla ut. Åtminstone männen. De ser ut som katter, kanske... Det är en omtumlande... Men Gud så gott att bli omtumlad på det här sättet!" (Jan Dahl i Sydöstran 15.4.85.)

"Hennes kvinnofigurer intar bestämda positioner och attityder. Männen är ofta mytiska djurfigurer. Vissa tavlor av konstnärinnan kan vara naivistiska och hårdkolorerade som centraleuropeiska bondemålningar." (J-O Brunnström i en Blekingetidning 15.4.85.)

Musée des Beaux Arts, Rouen, Frankrike. Ulrica deltar i en utställning omfattande europeiskt glas.

"Un Art du Feu", Centre Culturel Suedois, Paris. Ulrica deltar i en samlingsutställning med bl a juvelglas.

"Glaset som bildbärare", Galleri Ikaros, Göteborg. Ulrica deltar med vaser och skulptur i glas.

Coburg, Västtyskland. Ulrica deltar i den andra stora jurybedömda glasutställningen på Coburgs fästning och erhåller pris.

"New Glass", Nilsson Gallery, New York.

Essener Glasgalerie, Essen, Västtyskland.

En utställning med europeiska kvinnliga glaskonstnärer turnerar runt i Europa. Ulrica deltar.

"Glass 1985", Yamaha exhibition, Japan.

Serien "Paradise" börjar tillverkas. Den tilldelas utmärkelsen "Utmärkt svensk form" av Föreningen svensk form.

1986

La Gallerie, Frankfurt. Ulrica visar glas.

Galleriet, Växjö. Ulrica visar målningar och glas.

"Hennes konstglas är känt över hela världen, men sällan eller aldrig förevisat på hemmaplan... Genomgående tema i hennes målningar är kärnfamiljen och moderskapet. Uppenbarligen är detta oerhört viktigt för henne.

Men det blir aldrig några sockersöta bilder av den fullkomliga lyckan, tvärtom finns det ofta något mörkt och hotfullt runt det centrala temat. Ett utifrån kommande hot mot familjen. Hennes oljemålningar är 'osvenska' och för närmast tanken till kontinentalt måleri." (Jan Bengtsson i Växjöbladet 6–12.3.86.)

"... man är lite förvånad över att inte Växjö – läs museet – tar chansen att visa Ulricas och andra glaskonstnärers produktion, innan den går ut i världen och därmed för alltid försvinner till utländska köpare.

Ulrica Hydman-Valliens glaspjäser är unika i mer än en bemärkelse. Hennes sätt att arbeta med glaset är mycket personligt. På Galleriet visar hon en

Lena Pettersson, glasmålare, Åfors 1990.

Eva Holub målar Caramba, Åfors 1990.

Caramba, målat glas i serieproduktion, Artist collection, 1986.

Caramba, textiltryck, rapport, 240 × 150, 1986.

kollektion av sin senaste teknik, juvelglaset som egentligen är en kontamination av flera olika glastekniska finesser, och där den avslutande målningen skapar den lyster, som kommit Ulrica att associera till juveler." (Lars Hultman i Smålandsposten 1.3.86.)

"Så väldigt mycket och så väldigt typiskt Ulrica själv – men ändå så mycket av Chagall och Gauguin... Hon målar fram ensamheten i den skenbara gemenskapen på ett mycket intressant sätt." (Margareta Göthe-Dalgren i Barometern 4.3.86.)

Galleri Lucifer, Skövde. Ulrica visar målningar, keramik och glas.

"I 'Ömhetslängtan' samlar sig mjuka djur kring flickan med trånande ögon. Ur hennes huvud växer något rådjursliknande fram, omvandlat till mänsklig profil, medan en blå djävul sticker fram bakom nacken och stör idyllen.

Det verkar häxsabbat, som blir mer tydlig i 'Häxnatt' med lockande ögon och munnar. Figurer i fågelhamn dras in av den hornpryddes sugande blick. Det handlar om förvandlingar. Katten blir gris, och människan satyr. Men också om hednisk fruktbarhetsrit: i 'Kattkvinnan' är det könsliga framhävt som hos Venus från Willendorf." (Sigvard Sjöqvist i Skaraborgs Läns Allehanda 11.4.86.)

"Jag vet få konstnärer, som har en så egen inställning till omvärlden, skeendet och livet och ett så absolut personligt manér, att återge sina intryck i bild eller objekt som Ulrica. Hon återger mörka, kusliga och skrämmande sidor eller sagolika, ljusa och mycket färgstarka bilder sammanhållna av svarta ramar. Färgerna är klara och lysande, motiven ger sken av maskerad eller saga, ting blir till symboler och stilen naivistisk." (B.M.M-y. i Skövde Nyheter 11.4.86.)

"Kosta Bodas sjätte sinne", Kägelbanan, Djurgården, Stockholm. Kosta Bodas egna formgivare visar skulpturala arbeten med glaset som bas. Ulrica visar friblåsta former målade med emaljfärg och monterade på målad metall. Tom träsocklarna målades.

"Nu förhåller det sig faktiskt så att Kosta Boda sedan länge har ett lag utmärkta formgivare, bland dem ett par som tillhör den internationella eliten. Jag känner dem väl och respekterar dem ända därhän att jag påstår att den aktuella utställningen bara delvis gör dem rättvisa. Men udden i den här artikeln kan naturligtvis också riktas mot mig själv: Om Kosta Bodas nya giv säljer på en internationell marknad, där inga gamla märken håller, vem har då 'rätt'?" (Ulf Hård af Segerstad i Svenska Dagbladet 30.9.86.)

"Väl inne i hallens volymer möter en skog av målade glasskulpturer på målade socklar. Troll och kattliknande odjur stämmer upp en härlig busvisslande marsmånadssymfoni. Dirigenten är Ulrica Hydman-Vallien. De flesta skulpturerna är blåsta, men några är utförda i massivt klarglas med formade detaljer och delvis målade. En slingrande ormliknande form binder samman skogen av skulpturer, så att äventyret inte skall störa omgivningen." (Mailis Stensman i Form 8.86.)

Galleri Smedhamre, Uppsala.

"Svenskt glas 86", Statens industriverks utställning visas på Röhsska konstslöjdmuseet, Göteborg. Ulrica deltar bla med arbeten i juvelteknik.

"SIND:s branschstöd till glasindustrin är slut med utgången av budgetåret 85/86... Vi får veta brukens årsomsättning i miljoner kronor, anställda, exportandel, adress och namnet på verkställande direktör. Det kan naturligtvis vara intressant. Men varför berättar man inte om glastekniker och hantverk? Det är så man ökar medvetenheten om kvalitet, att arbete måste få kosta. Varför tog man inte tillfället att vid presentationen av Eva Englunds praktfulla, lite hemlighetsfullt lockande nya arbeten i graalteknik tala om just denna intressanta teknik? Eller vad menar Ulrica Hydman-Vallien med 'juvelteknik'?" (Mailis Stensman i Form 6.86.)

Serien "Cleopatra", skålar med orm utmed kanten, samt skulpturerna "Open Minds" börjar tillverkas.

Sweden Centre, Tokyo, Japan. Ulrica deltar med glas.

Habatat Gallery, Miami, USA. Ulrica visar glas.

Traver-Sutton Gallery, Seattle, USA. Ulrica visar glas på en samlingsutställning.

Galleri Kamras, Konstmässan, Sollentuna. Ulrica visar glas.

"Caramba", en serie målat glas börjar tillverkas. Ulrica gör också för Weil Marketing, Stockholm ett tygtryck med samma namn.

1987
"15 år med glas", Galleri Ikaros, Göteborg. Ulrica firar med denna utställning sina femton år med glas.

"Glaset är just nu för mig mest det massiva, genomskinliga. Jag sansar min vilja att dekorera allt och överallt. Sparsamt har jag målat mina nödvändiga tillägg så spåren av mig kan anas. En figur i figuren, ett öga i ett kraftfullt huvud, en glödande massa som för alltid stelnat i sin bestämda position, en vätska som slutat flöda." (Ulrica i katalogbladet.)

Open minds, brevpress i målat glas, Artist collection 1989.

Kärleksgudinna, målat glas, h 26, 1986. Tillhör Victoria and Albert Museum, London.

Kattkvinna, målat glasblock, h 27, 1988.

"Det roar mig att måla så", Galleri Malen, Helsingborg. Ulrica visar målat glas och akvareller.

"Hydman-Vallien använder både sitt glas och sina akvareller till att uttrycka relationer, gärna med erotiska och känslomässiga förtecken.

Puck var inte rädd för att släppa loss burlesken eller sätta självaste älvadrottningen i klistret med åsnehuvudet som symbol för den rena brunsten. Så 'nasty' är förstås inte Ulrica Hydman-Vallien, men nog förstår hon att sätta i gång krafter, som inte är alltför viktorianska." (Karl-Erik Eliasson i Helsingborgs Dagblad 9.12.87.)

"Ser man närmare efter upptäcker man emellertid att det är nog så reell verklighet hon gestaltar, förhållandet mellan man och kvinna, kärleken och ömheten såväl som maktkampen. Inte sällan är kvinnofigurerna stora, starka med väldiga öron som två vassa horn. Männen är betydligt mindre, beroende av det starka könet. Inte sällan har de fått potensen på hjärnan i form av en enhörningsliknande utväxt mitt på huvudet (oskuldsfullhetens symbol?). Det är fräckt och det är roligt – och långt ifrån okomplicerat." (Bertil Palmqvist i Arbetet 10.12.87.)

Riga, Lettland. Ulrica deltar tillsammans med Bertil och Erik Höglund i en stor glasutställning.

Kalmar Konstmuseum. Ulrica deltar i en samlingsutställning.

"Tre Rum", Kosta Boda, Djurgården, Stockholm. Ulrica deltar i en samlingsutställning.

"Scandinavia Today", USA och Japan. Ulrica deltar i en vandringsutställning under 1987 och 1988.

Galleri Kamras, Konstmässan, Sollentuna. Ulrica visar glas.

Älskande, tuschteckning, 102 × 74, 1989.

1988

Galleri Cupido, Stockholm. Ulrica visar målningar och glas. "Det är inte ofta du kommer ut från ett galleri och känner dig som om du druckit champagne, trots att du bara sett på tavlor. Men man kan bli rusig av färg, lustfylld fantasi och otillständiga former... en jättekvinna på en flygande matta på väg över jättegranar och höghus svajande likt erigerande penisar. En fågel på huvudet, en enhörning om halsen, ett fantasidjur i band och ett djuransikte över skötet. Bilden kallas 'Kvinnokraft'.

Genom sitt arbete med glaset har hon lärt mycket om färgens lyskraft, överfört den till de mästerliga akvarellerna." (Vera Nordin i Vestmanlands Läns Tidning 16.2.88.)

"Nordiskt Glas '88", en samlingsutställning omfattande verk av 17 deltagare sammanställd av Nordisk kulturformiddling i Moss, Norge. Utställningen invigs på Nordenfjeldske Kunstindustrimuseum i Trondheim, Norge. Den visas i Haugesund samt på Galleri Brandstrup, Moss i Norge, innan den avslutas på Smålands Museum i Växjö under sommaren.

NK, Stockholm. Ulrica visar glas.

"Färgerna flödar friskare än någonsin. Nu har Ulrica Hydman-Vallien lyckats överföra flödigheten hos sina akvarellmålningar till glaset. Tunna, genomlysliga och ändå intensiva lyser färgerna, det blå, det turkosa, det röda och gula. Och nu har hon träffat en glasblåsare som kan göra kärlen just så skeva och vindlande som hon vill ha dem." (Kerstin Wickman i Form 5.88.)

"Faces of Swedish Design", en vandringsutställning av konsthantverk och design i USA.

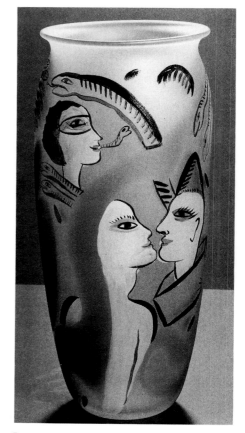

Passion, målat underfångsglas, 1986.

Erwin Eisch och Ulrica i Frauenau, 1989.

David Hopper och Ulrica i Frauenau, 1989.

Segel till slottsruinen i Borgholm, 1989.

"Design Art", Berlin. En samlingsutställning sammanställd av skribenten Tom Fecht, Elefanten Press i Berlin.

"Ting äger rum", Liljevalchs konsthall, Stockholm. En samlingsutställning svenskt konsthantverk och svensk design. Ulrica deltar med glas.

Traver-Sutton Gallery, Seattle, USA. Ulrica utställer glas. "...she paints vessel forms and sheet glass, the latter resembling high-glaze paintings. Her chosen colours are the hot glowing shades of stained glass, and her subjects are women. The women are sometimes accompanied by demons or serpents, with the painter's emphasis on breasts, which are painted scarlet and cobalt blue.

Her paintings connect women with mythic origins and power animals. The most resonant piece is 'Hot Lady', a vase-shaped crystal sculpture whose red and orange inner tones form a deep, hot background to a Garden of Eden scene with the usual cast. A crystal serpent writhes up from the top, like the thick stem of an apple transmogrified into a creature poised to bite the hand that would touch it." (Deloris Tarzan Ament i The Seattle Times 21.9.88.)

Gallerie Trois, Genève, Schweiz. Ulrica ställer ut glas.

Nyköpings Konstförening, Nyköping. Ulrica ställer ut målningar och glas.

"The International Exhibition of Glass Craft '88", Seibu, Tokyo, Japan.

Sonnet Gallery, Tokyo, Japan. Ulrica visar målningar och glas.

Serierna "Jade" och "Love" börjar tillverkas.

1989

Galleri Kaplanen, Visby. Ulrica och Bertil ställer ut. Ulrica visar målningar, teckningar och glas.

"Akvarellerna är även de gjorda med utmanande bestämdhet. Färgvalet för tanken till en subtropisk skog med briljanta toner i blått, grönt, rosa och rött." (Inger Hammar i Gotlands Allehanda 17.6.89.)

151

"Fina Stugan", Åfors. Ulrica och Bertil visar regelbundet varje sommar en utställning. Ulrica visar också målningar och keramik.

"Här står de grönvita glasblocken på socklar, oregelbundet avfasade, sågade och spruckna i hörnen. Ytorna är bemålade med kraftfulla linjer, kvinnoansikten gäckar oss. Volym, tyngd och mäktig plasticitet står i bjärt kontrast mot glasets genomskinlighet och dess intryck av lätthet och rinnande rörelse." (Kristina Mezei i Uppsala Nya Tidning 6.89.)

"Spännvidd", Gallery Nielsen, Malmö. Ulrica ställer ut glas.

"Segel", Borgholms slottsruin, Borgholm. Galleri Karmas arrangerar en utställning med målade segel. Ulrica deltar.

Under augusti månad 1989 undervisar Ulrica i glasmåleri vid Bild-Werk Frauenau i Västtyskland. Konstskolan leds av målaren och glaskonstnären Erwin Eisch. Andra verksamma vid skolan var sommaren 1989 bl a David Hopper från USA samt Vaclav Hubert och Jiri Suhajek från Tjeckoslovakien.

Serien "Birdy" börjar tillverkas.

1990
Heller Gallery, New York. Ulrica ställer ut målningar och glas.

Kulturen museet, Lund. Ulrica och Bertil har en gemensam utställning.

Galleri Malen, Helsingborg. Ulrica visar målningar och glas.

Galleri Kamras, Konstmässan, Sollentuna. Ulrica ställer ut målningar och glas.

"Tio år senare", Galleri Kamras, Borgholm. Ulrica visar målningar och teckningar från 1980 till 1990 samt glas.

"New Glass in Europe", Konstmuseum Düsseldorf, Düsseldorf, Västtyskland. Ulrica deltar i en samlingsutställning.

Ömhet, tuschteckning gjord med pensel, 35 × 35, 1984.

Woman face, tuftad matta, 90 × 70, utförd i 10 ex, Treger International, Kalmar, 1990.

Nutidskvinna, målat kristallblock, h 32, 1989.

Ulrica i hatten, Blixt och dunder, 1990.

Fotografer:

Ola Terje samt Gustavsbergs Porslin,
Ulrica Hydman-Vallien, Stig T Karlsson, Kosta Boda,
Nationalmuseum, Carl A Nordin, Hilding Ohlson, Lars G Ohlsson,
Anders Qwarnström, Röhsska konstslöjdmuseet, Charlotta Stensman,
Mailis Stensman, Svenskt Pressfoto, Roland Svensson,
Bertil Vallien, Östra Småland.

Kolofon

Tack alla som skrev i olika tidningar i samband med utställningar av Ulrica Hydman-Valliens arbeten och ur vars artiklar jag citerat. Ni befann er inför verkligheten, innan verken skingrades. I dag vet få var de finns, Ulrica själv vet sällan.
Det har varit till ovärderlig hjälp att ta del av fotografen Ola Terjes foton. Han har sedan mitten av 1960-talet regelbundet följt livet i Bromsastugan vid dammen i Åfors och tack vare hans dokumentation har denna bok blivit möjlig att så rikt illustrera.
Tack Ola. Tack Bernt.
Tack Charlotta och Jan.

© *Författare och fotografer*
Typsnitt: Lino Baskerville
Färgrepro: Scannrepro, Västerås
Svartrepro: Malmö Kliché & Repro AB
Inlagans papper: 130 g matt silverblade från Modo Silverdalen
Måtten är angivna i centimeter med höjden angiven först.
Layout: Gösta Svensson

Sättning, tryckning och bindning: Bohusläningens Boktryckeri AB,
Uddevalla, 1990
4 000 exemplar april 1990
ISBN 91-971320-1-2

Boken är tryckt i en engelsk version,
2 000 exemplar april 1990
ISBN 91-971320-2-0

Edition Apel
Apelhult
343 00 Älmhult